Maxime LAGUERRE

L'Ordre Naturel

Essai à contre-courant

Éditions de l'Éternel Retour

Certains lancent leurs idées en l'air comme des oiseaux
dans l'azur, pour le plaisir de les regarder voler.
Moi, je suis comme le chien qui suit la piste.

Confucius

AVANT-PROPOS

J'ai toujours préféré voir par moi-même la réalité des choses plutôt que d'en lire la description par un tiers.

Cela diminue le champ de la connaissance, mais si l'on est un observateur attentif, cela permet de voir ce que d'autres n'ont pas vu ou jugé utile de rapporter.

Ainsi j'ai mené une double vie. D'un côté actif et entreprenant, de l'autre méditatif et solitaire.

Alors que je pouvais constater les résultats de ma vie active et en contrôler l'efficacité, ma vie méditative est devenue de plus en plus solitaire et secrète.

D'autant plus secrète que plus ma pensée se développait, plus elle se séparait de toutes les idées reçues.

Ainsi je n'osais plus exprimer les miennes.

Le fil conducteur de cet essai est le suivant : dans la vie animale et la vie végétale, la perpétuation est le seul critère de jugement de valeur.

Tout ce qui aide à cette perpétuation est bon, tout ce qui peut l'empêcher est mauvais.

La perpétuation génétique reste la seule méthode assurant la transmission de l'activité animale.

Le couple de rossignols ne peut enseigner sa manière de chanter ou de confectionner un nid, car ses petits prennent très vite leur autonomie. Pourtant, ces derniers, d'instinct, agiront comme leurs parents.

Si l'espèce rossignol s'éteint, avec elle disparaît un chant merveilleux, un nid à nul autre pareil, ses productions « culturelles ». L'absence de perpétuation engendre le néant.

Les connaissances animales sont innées, se transmettent avec avec le patrimoine génétique, et sont suffisantes pour assurer la pérennité de l'espèce.

L'homme a accumulé un nombre considérable de connaissances. Son patrimoine génétique ne les conserve pas ; aussi, a-t-il créé les moyens de les conserver.

Cependant, tout le monde n'est pas apte à assimiler et communiquer ce savoir. Cette culture dont nous sommes si fiers ne sera conservée qu'avec notre pérennité biologique. Si l'humanité est anéantie, ses créations techniques ou artistiques survivront un certain temps — pour rien.

En outre, les dépositaires du savoir doivent le comprendre pour le communiquer. Si — par une évolution à rebours — cette aptitude s'amenuisait, notre culture agoniserait.

L'Éducation nationale abandonne 20 % d'illettrés, incapables de préserver ne serait-ce qu'un soupçon de cette culture.

Pourquoi ?

L'incompréhension est-elle innée ? Peut-elle dégénérer ou s'améliorer ? Y-a-t-il en France de plus en plus d'individus capables de comprendre les *Pensées* de Pascal, les *Essais* de Montaigne, ou de moins en moins ? Thomas d'Aquin écrivait sa *Somme théologique* comme un simple pense-bête accessible à tous les étudiants en théologie. Quel prêtre, aujourd'hui, comprend réellement sa métaphysique ?

Suivre une piste ne mène pas toujours là où l'on

souhaite. Toutes les vérités ne sont pas agréables à découvrir.

Aussi, m'est-il apparu cette évidence : chez l'homme, l'inné est l'essentiel, et l'acquis la conséquence de l'inné. L'inné détermine les aptitudes, l'acquis n'étant que la conséquence de la volonté d'améliorer, de développer, cette aptitude. Et cette volonté, elle-même, est innée.

Or, j'ai constaté que les idéologies actuelles — les dominantes commes les minoritaires — acceptaient une vérité première : chaque homme est le résultat de son éducation, de son instruction, de sa formation, son environnement familial, social, culturel. De fait, ces idéologies se disputent, s'opposent sur la finalité, le type d'homme qu'il faut obtenir : mais toutes semblent penser que l'éducation peut modeler ce type d'homme. Or, ceci est totalement faux.

A la naissance, tout est déjà décidé. L'homme possède un destin providentiel qu'il va s'efforcer de réaliser ; il ne l'épanouira que très rarement de façon complète.

Je montrerai combien l'erreur dont je viens de parler a des conséquences tragiques.

Chaque peuple est adapté pour comprendre et utiliser sa propre technologie, et apprécier son art. Malheureusement, les Blancs ont pensé que leur technologie, leurs valeurs, étaient non pas différentes de celles des autres peuples, mais en avance.

Ils ont pensé également que par l'éducation, ils pouvaient former les peuples à leur image, pour leur bonheur. Ce fut la terrible erreur africaine dont nous n'avons pas fini de constater le désastre.

Différent ne veut pas dire supérieur ou inférieur. Le loup est différent du chevreuil. Il n'est ni supérieur ni inférieur. Ces animaux sont parfaitement adaptés au style de vie prévu par le Créateur. Le changer n'a aucun sens. C'est proprement absurde. Encager le loup pour le protéger des sautes de température, le nourrir à satiété ne correspond pas à sa nature. Le Noir africain, l'Arabe, l'Asiatique sont différents de l'homme blanc. Ils ne sont ni supérieurs ni inférieurs.

Dire que cette différence est seulement culturelle, c'est-à-dire engendrée par l'éducation, la formation, l'environnement, est une illusion, sur laquelle on ne peut rien construire. Laissons chacun choisir son style de vie, sa civilisation. Ne jugeons pas par rapport à nos valeurs, l'admiration ou la critique n'ont aucune sens.

Le jour où j'ai constaté que deux enfants de parents différents, mais nés le même jour et éduqués ensemble, dans la même famille, et de la même manière, pouvaient être totalement dissemblables.

Le jour où j'ai découvert que deux vrais jumeaux, séparés par inadvertance à la naissance, élevés différemment dans des familles différentes, et se retrouvant à l'âge adulte, étaient toujours semblables, et s'entendaient parfaitement dès les premiers contacts.

J'ai alors compris l'absurdité des idéologies de notre temps.

L'énorme travail expliquant par la psychanalyse les différences de caractères et de comportement est réduit à néant. C'est le patrimoine génétique qui programme l'être.

Devant un débile mental, la science reste impuissante. Elle peut seulement se demander pourquoi cet enfant est né ainsi, et quelles sont les causes de la détérioration de son patrimoine génétique.

Quand enfin nous comprendrons que la vie actuelle ne met pas seulement en jeu notre santé, mais aussi celle de notre patrimoine génétique, un grand pas sera franchi. Les tares ne tombent pas du ciel, mais résultent d'excès non conformes à une vie naturelle.

Ne s'occuper que de l'individu, interdire les produits mortels — la drogue, par exemple — ou les toxiques d'accoutumance, comme l'alcool ou le tabac, mais ne pas se préoccuper de ce qui détériore son patrimoine génétique, et peut générer des êtres tarés, voilà quelque chose d'absolument aberrant.

Notre manière de vivre modifie notre patrimoine génétique. Alors que nous étions naturellement construits pour surmonter toutes les adversités, le petit enfant apprend déjà que le moindre bobo doit être soigné, pansé. Cela lui montre qu'il ne peut guérir naturellement comme un animal. On lui met dans la tête que sans les connaissances humaines, il serait incapable de survivre. Ainsi, on substitue à des défenses naturelles des défenses artificielles. Ces premières, inscrites dans le patrimoine génétique, risquent de s'affaiblir, jusqu'à devenir insuffisantes, dans tous les domaines : blessures, maladies, intempéries. Chaque appel à une défense artificielle — pas seulement médicale — est une perte de liberté, une nouvelle chaîne.

Ma conviction est la suivante : notre comportement et notre évolution physique sont commandés par notre patrimoine génétique. Le fait qui l'homme ne diffère en rien, biologiquement, de l'animal, m'incite à observer le comportement et l'évolution de ce dernier pour retrouver ce qui doit être la vie naturelle de l'homme.

J'ai ensuite recherché ce quelque chose qui avait peu à peu fait sortir l'homme du règne animal, en modifiant son environnement et son comportement. Alors que dans l'ensemble, la perpétuation du règne animal et du règne végétal semblent assurées malgré la terrible dévastation de la nature par l'homme, je me suis demandé si ce dernier allait vers un paradis terrestre ou vers un enfer qui le détruirait.

Quel sens fallait-il donner à une amélioration continue de notre sort ?

Le progrès ne nous est pas imposé. Il résulte de la libre utilisation des inventions. Il pourrait donc paraître bénéfique pour cette raison.

L'imagination créatrice qui caractérise les inventeurs est une disposition congénitale. Elle ne s'acquiert pas.

Parfois à un très faible degré, l'invention est toujours géniale : elle dépasse tout ce que l'homme de l'art peut trouver en utilisant toutes ses connaissances.

L'invention n'est pas faite en vue de ses conséquences. L'inventeur les ignore. Les frères Lumière, après avoir fait une démonstration du cinématographe, déclarèrent qu'il n'avait aucun avenir commercial, et que se serait folie d'y investir la moindre somme d'argent.

On peut donc parler d'une évolution aveugle du progrès favorisant certains hommes entreprenants, mais en ruinant beaucoup d'autres.

Autrefois, tous les biens utilisés par les hommes étaient produits par des entreprises familiales, artisanales et agricoles.

Tous ces métiers étaient intelligents, car perfectibles par ceux qui les pratiquaient. Ils furent la base solide d'une merveilleuse civilisation qui s'épanouit en France au siècle de Louis XIV.

Cependant, des inventions allaient peu à peu rendre obsolètes toutes les techniques utilisées par ces métiers.

Des millions de familles furent peu à peu ruinées. Des régions entières se désertifièrent.

Personne n'avait voulu cela. On l'accepta comme le prix

à payer pour aller vers cette nouvelle société merveilleusement heureuse où nous menait le progrès.

De l'est à l'ouest, du nord au sud, les gouvernements n'eurent qu'un objectif : augmenter le P.I.B. et le niveau de vie, sans s'apercevoir — en observant autour d'eux — que cette progression continuelle ne nous rapprochait nullement de cette société idéale au nom de laquelle on nous console de toutes nos souffrances.

Cette évolution de notre société ne se fait pas au détriment de tous.

Il est bien loin le temps où il fallait gagner son pain à la sueur de son front. La principale source de rapide enrichissement reste de nos jours la spéculation — qui ne produit rien et qui gagne au détriment de la communauté.

Les énormes profits réalisés en spéculant sur les monnaies sont les seuls qui soient nets d'impôts. Ceux qui réussissent le mieux — même au détriment de la Banque de France, donc de nous — sont reçus par le président de la République pour les honorer.

Puisque les médias font l'opinion publique, les financiers internationaux sont dans leur rôle de vouloir en devenir propriétaires.

Malgré le désir sincère d'indépendance des journalistes vis-à-vis de leurs employeurs, la réalité, hélas, veut toujours que, finalement, l'argent commande.

La finance internationale s'investit partout où il est profitable de faire travailler ceux qui produisent.

Lorsqu'une entreprise n'est plus rentable, en tel lieu du globe, au nom de la libre concurrence, elle doit disparaître. C'est logique et il n'y a rien à dire.

Les médias ne peuvent qu'approuver cette évolution vers la libre circulation des capitaux et des marchandises.

Ce ne sont plus seulement des régions qui vont s'appauvrir et se désertifier, mais des pays entiers.

Qu'importe ! On dira aux populations concernées de partir vers des pays où les conditions économiques sont meilleures.

Cependant, petit travailleur de la base ou grand financier, nous sommes tous dans le même bateau.

Le naufrage nous fera tous périr.

Mes conversations avec mon ami André Garin sont ici rapportées, divisées en chapitres. Souvent, j'ai utilisé le mot « homme » pour « être humain ». Le lecteur rectifiera de lui-même s'il est choqué.

FONCTIONNEMENT DES ESPÈCES ANIMALES ET VÉGÉTALES

A. G. : Biologiquement l'homme ne diffère en rien de l'animal. Pour comprendre pourquoi il a un destin différent, il est bon d'étudier d'abord comment fonctionne la vie des animaux et des végétaux qui sont, selon vous, restés dans l'Ordre Naturel.

Ensuite, puisqu'il n'y a pas de différence biologique avec l'animal, réaliser pourquoi l'homme s'est éloigné du comportement naturel des animaux.

Enfin essayer de savoir si cette dérive est bonne ou mauvaise.

M. L. : Toute vie est faite pour se perpétuer. Les activités de chaque animal ou de chaque végétal s'ordonnent autour de ce principe.

Chaque espèce possède un patrimoine génétique qui est le centre de l'activité, et ce patrimoine se retrouve quel que soit son aspect physique. Le chêne magnifique, le gland ou même le minuscule grain de pollen contiennent ce patrimoine génétique, ce « noyau dur » intangible de l'espèce chêne.

Un animal adulte dans toute sa force, un spermatozoïde ou un ovule ne sont que des aspects physiques différents d'une même force vitale animant le patrimoine génétique.

Chaque individu, à tous les stades de son existence ignore que sa mission est de se perpétuer. S'il mange c'est simplement parce qu'il en a envie et non pour déclencher un processus physico-chimique lui conservant sa force afin de pouvoir transmettre son patrimoine génétique.

Ainsi l'animal a l'impression qu'il est libre, qu'il fait ce que bon lui semble. Il se sent mal à l'aise dans des températures extrêmes.

Il mange et préfère certains aliments, qui ont pour lui un goût plaisant. Il ignore qu'il est programmé pour préférer ces aliments qu'il croit choisir librement, ou pour en refuser d'autres qui en réalité seront néfastes à sa bonne santé.

Même chose pour les espèces végétales.

L'oranger trouve « désagréable » le climat du nord de la France car il n'est pas programmé pour y prospérer comme un tilleul ou un pommier.

Pourtant quand on examine avec tous les moyens dont nous disposons un oranger ou un tilleul, on comprend mal pourquoi le tilleul prospérera là où l'oranger dépérira et vice versa.

Chaque espèce végétale prospère dans un climat déterminé (température, humidité) et a besoin de certains aliments spécifiques qu'elle doit chercher dans le sol.

L'animal est mobile et recherche les conditions optimales à son mieux-être en se déplaçant.

S'il mange de l'herbe, en temps de sécheresse, il peut faire de grandes migrations, si nécessaire, pour découvrir de meilleurs pâturages.

Le végétal, immobilisé, doit s'adapter aux conditions qui lui sont imposées.

Un même gland semé dans les Causses, région de terres peu profondes et pauvres, ou dans le Perche au sous-sol fertile et très profond, donnera un arbre d'aspect fort différent : puissant et majestueux dans le Perche, petit et malingre dans les Causses.

Cependant chez ces deux chênes qui semblent si différents, le patrimoine génétique est totalement préservé.

Il peut arriver que l'animal ou le végétal soit si épuisé qu'il ne puisse plus transmettre ce patrimoine.

Les mécanismes de sa transmission sont donc particulièrement importants.

A. G. : Résumons : chaque individualité végétale ou animale prend une forme momentanée, variable et périssable, mais porteuse d'une vie éternelle, immuable ou presque, qu'on peut appeler le patrimoine génétique.

La mission de chaque bête ou de chaque plante est donc de lutter pour vivre afin de conserver intacte cette vie éternelle qu'il doit absolument transmettre.

Le comportement de chaque animal pour accomplir sa mission est réglé grâce à deux incitations positives et négatives : le plaisir et la douleur.

Il croit rechercher l'accouplement pour jouir, alors que c'est uniquement pour transmettre son patrimoine génétique.

LES MÉCANISMES DE LA TRANSMISSION
DE LA VIE

M. L. : Si la nature s'était contentée d'abolir le vieillissement des individus en ne prévoyant pas de mécanisme de reproduction, les espèces auraient disparu.

En effet, les animaux comme les végétaux sont en butte à de multiples agressions qui mettent leur vie en péril.

S'il n'existe pas de mécanisme de remplacement des individus qui meurent à la suite de ces agressions, leur nombre va diminuer jusqu'à la disparition de l'espèce.

C'est pourquoi la Nature a prévu que chaque individu, certes mortel, pourrait pendant sa vie transmettre son patrimoine génétique en de multiples exemplaires.

Elle présente différents systèmes.

Ou bien elle arme les individus d'une technologie supérieure pour survivre. Dans ce cas, il y aura peu de victimes de l'environnement et il n'est pas nécessaire d'avoir un taux de multiplication très grand. C'est le cas des êtres dits « supérieurs » comme les mammifères.

Ou bien les individus ont une faible défense. Leur taux de mortalité très grand est alors compensé par une capacité de reproduction énorme. C'est le cas des insectes, des poissons dont certains pondent des centaines de milliers d'œufs chaque année !

C'est le cas des végétaux. Un chêne adulte produit chaque année des milliers de glands. Comme le chêne vit en moyenne cinquante ans, il suffit qu'un seul gland, tous les cinquante ans, donne un nouveau chêne pour transmettre le patrimoine génétique.

Le Larousse dit que « les mammifères occupent la place la plus élevée parmi les êtres vivants ». C'est un point de vue très discutable.

En réalité, leur merveilleuse organisation individuelle de survie et leurs faibles moyens de reproduction les rendent peut-être plus vulnérables que des espèces du bas de l'échelle, selon les critères d'appréciation généralement utilisés.

Nous ne parlons pas de perpétuation de l'espèce, mais de celle du patrimoine génétique de l'individu.

En effet, en dehors du cas de vie collective, communautaire, organisée, comme chez les abeilles ou les fourmis où il n'existe qu'un reproducteur pour toute la communauté, les individus groupés sous le nom d'espèce sont concurrents, même s'ils ne se mangent pas entre eux.

Les individus d'une même espèce ont des caractéristiques extrêmement voisines mais ne sont pas identiques.

On peut même admettre la possibilité d'une dérive de ce patrimoine suivant la manière dont vit l'individu, donc une certaine adaptation aux conditions de vie quand celles-ci changent durablement.

La Nature est impitoyable. La disparition des individus, soit à la suite d'agressions d'autres animaux, soit par famine, est en proportion du taux de reproduction.

La mort de vieillesse reste l'exception, même chez les individus très bien organisés pour la survie.

Un individu périt la plupart du temps par malchance, mais, parmi ceux qui trépassent, se trouvent tous ceux qui sont moins bien armés pour la lutte vitale.

Le patrimoine génétique d'un individu programme ses comportements. La Nature a prévu d'arrêter la perpétuation des patrimoines subissant une dérive peu favorable à la survie individuelle.

Intervient alors la reproduction sexuée.

Le Larousse définit ainsi la reproduction : « fonction par laquelle les êtres vivants perpétuent leur espèce ».

Erreur !

Les êtres vivants se perpétuent et non leur espèce. Un mâle est prêt à tuer 10 rivaux, ce qui est très préjudiciable à l'espèce à condition que lui puisse se reproduire.

La plupart du temps les êtres vivants ne distinguent pas ceux de leur espèce de ceux qui ne lui appartiennent pas, et sont complètement indifférents aux attaques subies par les autres individus de leur clan, à moins qu'ils aient formé une communauté de défense.

Revenons à la reproduction sexuée.

Le patrimoine génétique est donc porté, à la fois par des individus mâles, et par des individus femelles.

Pour la compréhension de la suite, il est particulièrement intéressant d'étudier le comportement des animaux plutôt que des végétaux.

Le travail de reproduction consiste à créer des individus portant un mélange des patrimoines génétiques du mâle et de la femelle.

Chez les mammifères, les individus sont nourris, aidés et protégés par la femelle jusqu'à ce qu'ils soient adultes.

Ils sont alors chassés par la mère, et deviennent autonomes. C'est le sevrage.

Le patrimoine génétique détermine la vitalité, la combativité. Donc ce qui augmente les chances de survie, peut

17

se trouver détérioré pour différentes causes. Cette détérioration, si elle n'empêche pas la femelle de recevoir la semence et de procréer, se manifeste par contre au niveau du comportement sexuel du mâle.

La combativité pour conquérir la femelle se trouve affaiblie.

La Nature a donc choisi ce moment pour éliminer les patrimoines génétiques les moins bons.

La femelle qui, dans un premier temps, n'a aucune envie de se donner aux mâles, éprouve par contre un grand plaisir à exaspérer leur désir.

Ceux-ci alors se battent férocement jusqu'à ce qu'un seul reste en lice pour continuer sa cour.

Ainsi se trouve sélectionné le porteur des meilleurs gènes permettant d'assurer la transmission de son patrimoine.

Si le mâle est toujours prêt à donner se semence, la femelle ne l'accepte que pendant la très courte période où sa programmation génétique l'avertit de la réussite quasi certaine de la copulation.

Sitôt que le mâle a donné sa réserve de semence, son rôle est terminé.

Le mâle triomphant devient un être amaigri, affaibli et désemparé, la femelle ne veut plus le voir.

A. G. : Pour vous, dans la Nature, la femelle n'est jamais sexuellement à la disposition du mâle.

Elle seule choisit le moment d'accepter l'union des corps, et seulement le temps nécessaire à sa fécondation.

Après, sexuellement, le mâle n'existe plus, et s'il n'a pas un autre rôle dans la vie du couple, il disparaît.

M. L. : Exactement.

Différence fondamentale
DU COMPORTEMENT POUR LA REPRODUCTION
CHEZ LE MÂLE ET LA FEMELLE DES MAMMIFÈRES

M. L. : La reproduction, ou transmission du patrimoine génétique, est l'activité la plus importante chez les animaux.

Chez ceux qui ne se reproduisent qu'une fois, la mort suit généralement l'acte procréateur.

Les saumons remontent parfois 1 000 km d'un fleuve pour atteindre près de la source les gravières sur lesquelles les œufs seront pondus.

Pendant toute cette remontée, ils ne mangent pas.

Ils arrivent épuisés, avec juste la force de creuser l'endroit qui recevra les œufs. Sitôt ceux-ci pondus et arrosés de la laitance, le mâle et la femelle — qui furent si beaux et pleins de vitalité — ne sont plus que des cadavres emportés par les flots.

Quel symbole, cette volonté de transmettre ce précieux bien, pendant des mois leur seule raison d'être !

Nous avons dit « différence fondamentale » dans le comportement du mâle et de la femelle chez les mammifères.

En effet chez tous les mammifères qui ne vivent pas en couple (presque tous), l'accouplement est pour le mâle la fin de son travail : il a transmis son patrimoine génétique.

Après cet accouplement il ne s'intéresse plus ni aux femelles, ni aux petits qui naîtront.

Pour la femelle, c'est exactement le contraire.

Avant l'accouplement son activité pour l'obtenir a été presque nulle. Elle ne recherche pas les mâles et son odeur — qui les attire — est involontaire.

Pas un gramme de ses réserves n'est utilisé pour attirer les mâles, et elle ne dépense pratiquement aucune énergie pour les attirer.

Le mâle, lui, est rongé par ce désir irrésistible. Il en perd le boire et le manger, se bat pour rester seul à posséder sa belle au jour qu'elle choisira.

La femelle subit, mais l'acte lui-même la laisse indifférente.

Puisque l'énergie du mâle est suffisante pour réussir l'ensemencement, pourquoi la Nature userait-elle si peu que ce soit les forces de la femelle ? Ne doit-elle pas les économiser pour accomplir seule le travail formidable perpétuant l'union de deux patrimoines génétiques ?

L'ineffable plaisir — qui dépasse de loin tous ceux que le mâle a connus — est provoqué par la fécondation de la femelle.

Pas de semence projetée, pas de plaisir.

L'orgasme et la fécondation sont liés.

Par contre chez la femelle très passive, qu'elle éprouve ou non du plaisir ne change rien au résultat.

Elle ne perd pas un gramme dans l'accouplement.

Le renard est un animal connu de tous, aux mœurs cependant méconnues.

Le renard et la renarde ne vivent pas en couple. Chacun a son territoire, aussi bien défendu contre ceux de son sexe que de l'autre.

La renarde en chaleur attire les mâles et ceux-ci se battent pour qu'un seul d'entre eux fasse sa cour.

L'accouplement a lieu le jour choisi par la renarde. Son travail accompli, le renard disparaît.

La renarde déploie alors une activité intense. Elle mange plus que de coutume pour nourrir ses fœtus et gonfler ses mamelles de lait.

En outre elle doit aménager un terrier pour mettre bas.

La parturition accomplie, elle doit nourrir ses petits et les tenir propres.

Elle chasse deux ou trois fois plus et ramène sa proie au terrier, parfois de fort loin.

Pendant ce temps, le mâle redevient solitaire. Sa conquête d'un jour est complètement absente de ses pensées. S'il la rencontrait par hasard, il ne la reconnaîtrait même pas.

Ainsi va la vie.

Pour ceux qui jugent de tout à l'aune de l'égalité, un tel partage du travail pour la perpétuation apparaît comme scandaleux, injuste, inacceptable.

Si vous pensez par contre que la Nature est bien faite, vous observez simplement le mécanisme universel. Ne fonctionne-t-il pas d'une manière satisfaisante par rapport à sa finalité, la perpétuation des individus ?

A l'automne, les dernières couvées étant terminées et

les petits devenus adultes, les bouvreuils vivent en petites bandes, pour le seul plaisir d'être ensemble.

En janvier, les couples se forment mais pas pour la copulation. Celle-ci ne se fera qu'au mois d'avril/mai. Ils ont bien le temps d'y penser.

Le mâle et la femelle vivent ainsi plusieurs mois, émettant continuellement de petits cris très doux pour ne pas se perdre.

C'est donc une union uniquement sentimentale, très pure. En avril les œufs commencent à se former dans le ventre de la femelle, et celle-ci se préoccupe de construire un nid avec son partenaire.

Qui choisit l'endroit ? Nous ne savons pas, mais il est établi toujours dans le même type d'arbuste ou d'arbre, accroché à de petites branches et formé de brindilles de bois.

Une fois terminé, garni de crins, il est abandonné jusqu'au moment où la femelle reviendra pondre ses œufs.

Le mâle est toujours prêt à l'union physique, mais le moment sera choisi par la femelle quand un œuf aura besoin d'être fécondé.

L'accouplement ne dure que quelques secondes.

Quelques secondes pour chaque œuf et après on y pense plus ! La femelle attend que la coquille se forme et puis va pondre chaque jour. Lorsqu'ils sont tous pondus elle commence à les couver, le mâle la relayant. Puis les petits naissent et ils sont nourris par leurs deux parents.

Au bout de quinze à vingt jours, les ailes ont poussé et les oisillons se lancent les uns après les autres dans la grande aventure.

Ni eux, ni leurs parents ne reviendront jamais au nid.

A. G. : Ce que vous me dites me surprend fortement. Vous parlez d'union « sentimentale » du bouvreuil, de brièveté des rapports sexuels.

Cela va contre les idées reçues.

Un film, *La guerre du Feu*, présente la vie des hommes de la préhistoire :

Une jeune fille entre dans une hutte où se trouve assis un vieux mâle, et se précipite sur son sexe, la bouche ouverte...

A un autre moment, des femmes agenouillées et penchées au bord d'une mare sont agressées sexuellement, par derrière, par des mâles triomphants.

Nous sommes loin de la femelle décidant seule et sans aucune exception de l'instant du coït, dont l'unique finalité est sa fécondation.

M. L. : L'ignorance de la vie des animaux est de nos jours proprement effarante.

Les cinéastes et les écrivains s'en donnent à cœur joie pour présenter des versions qui les arrangent.

Le même metteur en scène, dans *L'Ours*, a accumulé les contre-vérités.

1) Un ours adulte ne s'intéressera jamais à un ourson pour le protéger.

2) Un ourson ne soignera jamais un vieil ours blessé.

3) Un ourson ne fera jamais le voyeur pour surprendre les ébats amoureux des adultes.

Dans *La Femme du Boulanger*, Marcel Pagnol compare le comportement de sa femme infidèle à celui de sa chatte qui vient de rentrer au logis. Or, la chatte ne peut pas être infidèle puisqu'elle n'a pas de mari.

Elle ne va voir les mâles que pour s'accoupler à celui

qui a chassé les autres, et seulement le jour qu'elle le décide.

Elle n'a ensuite aucun autre rapport sexuel ni avec lui, ni avec aucun autre mâle, puisqu'elle est, à coup sûr, fécondée.

Elle n'est seulement qu'une mère vivant pour ses petits.

Ce comportement n'a aucun rapport avec celui, très méprisable, dépeint par le boulanger du film.

La théorie de nos intellectuels ? Toute déviation sexuelle est atavique, instinctive et bestiale.

On retrouverait chez les animaux nos dépravations, nos phantasmes sexuels.

Ceci est absolument faux ! Je mets à part les mœurs des animaux domestiques perturbés par des siècles d'esclavage et de vie antinaturelle.

Chez les animaux sauvages, l'acte sexuel ne se produit qu'une fois par cycle de reproduction. Comme pour tous les actes de la vie, le plaisir et sa finalité ne sont jamais dissociés.

COEXISTENCE DES RACES ANIMALES
DANS LA NATURE

M. L. : Nous excluons l'observation du comportement des animaux domestiques : chiens, chats, bovins, poules. etc.

Les mœurs de ces animaux sont nettement différentes de celles des bêtes sauvages.

Dès qu'un animal accepte ou subit la domestication, il perd sa dignité, sa fierté et la pureté de ses mœurs.

Dans la Nature, les races (les individus aux patrimoines génétiques presque identiques) ne se mélangent pas.

Le métissage n'existe pratiquement pas.

Certaines espèces d'oiseaux sont si voisines que seul un petit détail du plumage les distingue. Cependant même ces espèces presque identiques ne se métissent jamais.

C'est une caractéristique importante qui les distingue des animaux domestiques, chez lesquels le mélange ne pose aucun problème.

L'animal sauvage est libre, d'une liberté dont nos obligations nous ont fait perdre jusqu'à l'idée.

Son existence est extrêmement dure, car il vit perpétuellement dans l'insécurité.

Cependant, il est totalement libre, et pour lui c'est le bien le plus précieux.

L'animal agit selon ses impulsions.

Un moineau, qui s'adapte si bien à la compagnie des hommes dans les villes, ne supporte pas l'enfermement.

Même si, en échange de cette privation il a tout ce qu'il désire en abondance.

Pour lui, c'est la liberté ou la mort.

Dans la Nature, l'animal accepte de cohabiter avec d'autres espèces, d'autres races, à condition que celles-ci ne le privent pas de nourriture.

Dans ce cas, il entre en conflit avec les animaux qui lui prennent son bien.

Naturellement, entre les prédateurs et leurs proies, la coexistence n'existe pas.

Chez les oiseaux granivores et insectivores, la coexistence est permanente — sans que les mœurs des uns ou des autres en soient modifiées. La pureté du patrimoine génétique reste parfaitement préservée par l'absence absolue de croisements.

Lorsque les animaux vivent en communauté plus ou moins élaborée — très structurée chez les abeilles ou les fourmis — simple communauté de chasse chez les loups, ou de défense chez beaucoup de mammifères (notamment ruminants) — la coexistence n'est pas acceptée, surtout avec un individu de la même espèce venant d'ailleurs.

Tous ceux qui n'appartiennent pas au groupe sont exclus.

A. G. : Pourquoi cet interdit du métissage dans l'Ordre Naturel ?

M. L. : Chaque animal est programmé pour un certain comportement en rapport avec son environnement. Si ce dernier reste stable de génération en génération, l'identité des comportements est assurée. Chaque animal a une vie identique à celle de ses parents.

Si un mâle bouvreuil décidait de vivre avec une femelle pinson, les perturbations pour les deux seraient énormes. Leurs besoins en nourriture seraient décalés, motivant une recherche en des endroits différents.

Au moment de la fabrication du nid, le désaccord serait total et sans solution. Les oiseaux n'ont pas appris, comme les humains, à faire des concessions et à souffrir en silence.

Le non-métissage est la pierre angulaire de l'Ordre Naturel.

PROGRAMMATION DU MONDE ANIMAL

M. L. : Les animaux adultes sont « programmés » pour survivre afin de se reproduire, transmettre leur patrimoine génétique.

S'ils ne peuvent plus procréer, ils deviennent inutiles et disparaissent (à moins qu'ils soient artificiellement préservés de l'adversité).

En comparant un être vivant à un ordinateur, on peut dire que ce dernier a un programme inné qui, par exemple, déclenche l'envie de boire quand l'organisme manque d'eau.

Il a aussi la possibilité d'acquérir un second programme lui permettant de s'adapter aux réalités particulières de son environnement.

L'animal apprend à connaître l'endroit où il peut s'abreuver, et y revient par habitude — cette « seconde nature ».

C'est en utilisant cette faculté de recevoir des programmes non inscrits dans ses gènes, et donc non transmissibles, que l'on peut éduquer, dresser un animal. Cette éducation, c'est l'acquis.

Les programmes innés, inscrits dans les gènes, sont les plus importants. Ils forment ce que La Fontaine appelait le « Naturel ».

« Chassez le Naturel, il revient au galop. »

L'inné pousse l'animal à manger, boire, se reposer, fuir la chaleur ou le froid, rechercher un partenaire pour procréer, cacher ses petits, les protéger, les laver, les nourrir...

Il a l'impression d'être libre, mais tout ce qu'il fera est inscrit en lui à sa naissance.

L'important c'est qu'il possède ce sentiment de liberté. D'ailleurs la liberté, n'est-ce pas d'assouvir son envie, peu importe d'où elle vient ?

L'inné forme le Naturel.

Les habitudes acquises engendrent la seconde nature.

Inné et acquis expliquent complètement le comportement animal.

L'homme aussi a une « Nature » et des habitudes acquises formant une « seconde nature », et ces deux « Natures » expliquent son comportement.

L'homme est un animal doué de raison. Celle-ci est une règle de conduite acquise. Mais il obéit à ses penchants naturels, à ses habitudes et tente de justifier, après coup, par la raison, sa façon d'agir.

Les animaux et les végétaux n'utilisent pour vivre que des biens renouvelables.

Si une espèce se multiplie à l'excès et consomme plus vite que la nature ne les renouvelle, elle met en péril sa survie.

C'est la famine et la mort d'une partie des individus de cette espèce.

La sous-consommation rétablit l'équilibre.

30

La disette s'opposant à la prolifération naturelle reste le grand régulateur.

Jusqu'à une période récente la surpopulation humaine a été constamment freinée par des disettes, des épidémies ou des guerres.

Ces temps sont-ils révolus ?

Différences entre l'homme et l'animal
leurs conséquences

M. L. : L'Ordre Naturel est si bien conçu que la perpétuation des êtres vivants semble assurée, même si l'homme ou des bouleversements de l'environnement ont fait disparaître un certain nombre d'espèces.

Chaque animal vit comme ses parents, et rien en lui ne l'incite à changer son style de vie. Il accomplit son destin, déterminé par son patrimoine génétique. Sa vie peut varier dans des limites prévues, du fait des événements extérieurs.

Il en va tout autrement pour l'homme, sorti de l'Ordre Naturel.

Pourquoi ? Le savoir, le comprendre est capital, et mérite les études les plus approfondies : ce quelque chose explique son histoire et permet de prévoir son avenir.

Les incroyants, les agnostiques disent : Ce quelque chose, c'est l'intelligence. Le Larousse dit : « L'intelligence distingue l'homme de l'animal. » Il définit l'intelligence : « Faculté de connaître, de comprendre ».

Ainsi, le chien ne connaîtrait pas son maître, ni les personnes qui l'entourent, les bons et les méchants, ceux qu'il faut accepter ou les étrangers qu'il faut refuser ?

Ainsi, dans la nature, l'animal ne connaîtrait pas ses ennemis, ni les endroits où il peut sélectionner la nourriture ?

Est-ce à dire que le chien ne comprend pas, si l'on ouvre le garde-manger, qu'il va recevoir sa pitance ?

Quand il voit son maître avec ses vêtements de chasse, son excitation est extrême. Il a compris : on va l'emmener dans les plaines et les bois, traquer le gibier.

Quand l'homme vivait comme un animal, la parfaite connaissance et la parfaite compréhension de ce qui l'entourait l'aurait-il incité à changer de vie ?

Vivre dans un square au milieu de Paris avec des hommes, des femmes, des enfants apportant des miettes de pain, c'est bien agréable, doit penser le moineau.

Cependant il ne change pas son style de vie. Il s'adapte.

Certains croyants donnent une autre explication symbolique de ce quelque chose qui a fait sortir l'homme de la Nature.

C'est le péché originel.

Adam et Ève vivaient heureux au paradis, cette Nature un peu embellie.

Ève a offert à Adam une pomme de l'arbre de science. Adam et Ève ont croqué la pomme et **se sont vus nus**.

Ce péché originel expliquerait toute l'histoire de l'homme et sa dérive hors de l'Ordre Naturel.

L'idée que l'homme se voit nu — et pas l'animal — est très intéressante, car tout à fait exacte.

En dehors de la courte période de l'accouplement, les animaux sauvages sont asexués.

La vue de la femelle n'éveille aucun désir chez le mâle.

Adam et Ève durent cacher leur nudité pour redevenir asexués et tenter de retrouver une vie naturelle.

En se voyant nus, cela excitait-il leur désir ou leur imagination ?

A vrai dire l'excitation exagérée du mâle ne change pas profondément son style de vie. Le chien domestique — dont la vie parmi les hommes a modifié bien des comportements — se trouve excité à la vue de n'importe quelle chienne, en chaleur ou non.

Il n'a cependant pas vraiment quitté l'Ordre Naturel.

Par contre l'imagination, « faculté de se représenter des objets par la pensée, d'inventer, de créer, de concevoir » semble faire défaut aux animaux.

Pour revenir au symbolisme du péché originel, on pourrait le traduire de la manière suivante :

L'homme et la femme vivaient au paradis (la vie naturelle). Ils ont croqué le fruit défendu — qui les a dotés de l'imagination.

Celle-ci leur a permis de se représenter par la pensée des objets, des actes, sans voir ces objets et sans agir concrètement.

Adam et Ève ont donc caché leur nudité non parce qu'elle excitait un désir naturel, mais leur imagination.

« La folle du logis » était donc ce propre de l'homme, cette faille dans le système naturel qu'il fallait absolument combattre.

L'imagination a fait sortir l'homme de l'Ordre Naturel. Ses premiers objets — les armes et les pièges — ne sont pas des découvertes, car on ne découvre que ce qui existe, mais des créations, des inventions.

Certains hommes ont vu ces objets dans leur imagination avant de les réaliser concrètement.

Chaque invention modifiant l'équilibre naturel en appelait d'autres, et le cycle infernal est commencé.

La technologie permettait d'accroître le nombre de

proies. Le groupe en profitait et s'accroissait, ce qui obligeait à multiplier les prises.

Jusqu'au jour où l'équilibre était rompu par la diminution du gibier.

Pour éviter la disette, l'homme fut donc amené à inventer l'élevage, ce qui modifia profondément son style de vie.

Ainsi l'homme n'a pas amélioré volontairement son style de vie. Ses inventions ont simplement eu des conséquences imprévisibles. Il a dû s'adapter. De chasseur, puis de piégeur, il devient éleveur.

C'est ce qu'on a appelé le « progrès » vers une civilisation « meilleure ».

A. G. : Ainsi l'homme a quitté la Nature, l'Ordre Naturel, non volontairement attiré par un idéal de vie différent, une société meilleure, mais malgré lui, subissant les conséquences d'inventions individuelles.

Ces inventions, dont jamais les inventeurs n'ont — à aucun moment — prévu les développements et les conséquences sur l'équilibre de la société...

M. L. : Exactement. Jamais l'homme qui inventa un piège par amusement ou par imagination créative ne supposa que cela allait augmenter la nourriture de ses semblables, donc accroître la population.

Il n'imagina pas non plus qu'à force d'être trop piégées, certaines espèces allaient diminuer en nombre. L'adoption enthousiaste du piège par les membres de la tribu apportait une nouvelle aisance. Elle se traduisit à la fois par l'augmentation des bouches à nourrir et la raréfaction des proies.

L'espoir d'une vie meilleure s'envola pour faire place à une nouvelle disette.

36

De nos jours, les petits paysans abandonnent leur ferme pour s'entasser dans les H.L.M. des grandes villes. Ils ne vont pas vers une vie meilleure, mais leur style de vie a été détruit par le progrès selon un processus que j'expliquerai.

RÉSISTANCE AU « PROGRÈS » :
L'ORDRE PARA-NATUREL

M. L. : L'imagination inventive ne fut généralement pas considérée comme un « bienfait des dieux », mais plutôt comme une déviation dangereuse.

L'homme chassé de la vie naturelle à la suite de son « péché originel », quittant un ordre stable et merveilleusement organisé, créé par Dieu, est un exemple parmi bien d'autres.

L'imagination était appelée autrefois « folle du logis » : elle n'apportait que le désordre et les inventeurs étaient mal considérés, soupçonnés d'être inspirés par Satan.

Bref, l'humanité organisa un Ordre para-naturel conservateur.

Le précepte biblique déclara que l'homme devait gagner sa vie à la sueur de son front ; seul le travail était noble.

Comme dans la nature, l'homme devait faire une cour assidue à celle qu'il avait choisie avant qu'elle ne se donne dans le mariage, pour créer une famille.

Les organes sexuels n'étaient pas des centres de jouissance, mais des organes de reproduction.

L'acte sexuel fait en imagination, en accompagnant les images par la masturbation, était le mal absolu.

Les activités paysannes, élevage et agriculture, respectaient le cycle biologique naturel.

Ce qui était prélevé à la terre en excès lui était rendu grâce au fumier, au compost, aux engrais verts — exactement comme cela se passe pour les végétaux non cultivés.

La chimie n'existait pas et l'alchimie était considérée comme satanique.

La mère élevait les enfants, et l'entraide restait la règle.

Au tout début de l'âge adulte, ces derniers devaient pouvoir vivre d'une manière autonome grâce à l'apprentissage.

Les apprentis étaient nourris et logés en échange de leur travail.

Ils avaient droit à un petit salaire au fur et à mesure que leur efficacité rapportait plus au maître que le coût du logement et de la nourriture.

L'enfant, rendant d'importants services dès son plus jeune âge, n'était jamais un assisté.

Ainsi pendant une très longue période la grande majorité de la population savait qu'il fallait travailler, faire des efforts pour gagner sa vie.

Cette population était conservatrice, peu favorable au changement, ou même le combattait franchement.

Elle produisait et consommait ses biens, ou les vendait elle-même.

Cependant deux catégories d'intermédiaires firent peu à peu leur apparition.

D'abord les pharisiens se déclarant les seuls intercesseurs entre Dieu et les hommes, car seuls capables de déchiffrer les textes sacrés.

Ensuite les commerçants, achetant ce qui était produit par d'autres pour le revendre aux consommateurs.

Le commerce, honnête au début, ouvrait la porte à la spéculation et à la tromperie.

A. G. : L'adoption de chaque nouvelle technique de travail, de chaque nouvelle technologie, ne s'est donc pas faite sans mal ?

M. L. : Tout à fait. Si un certain nombre d'hommes possède une technique qu'il mettra un certain temps à maîtriser (laquelle technique a mis des siècles à se parfaire), et si la production qui en résulte permet de faire vivre honnêtement ces hommes et leur famille, une autre technologie très différente produisant les mêmes biens beaucoup plus facilement ne peut se substituer à l'ancienne, sans que les tenants de l'ancienne trouvent cela insupportable.

Quand on raconte l'histoire de l'humanité et sa marche vers l'Âge d'Or, ces hommes qui se sont opposés au progrès sont montrés du doigt comme des conservateurs obtus.

Maintenant l'Âge d'Or nous apparaît comme un simple mirage et le progrès comme un simple changement. Il serait temps de réviser nos vieux clichés nous invitant à admirer les hommes de progrès, auxquels s'opposent tous les obscurantismes réactionnaires.

A. G. : On n'arrête pas le progrès.

M. L. : Étudions calmement s'il est bon ou mauvais. S'il est jugé mauvais, voyons si on peut l'arrêter ou le diriger.

AUTRES CONSÉQUENCES DE LA PARTICULARITÉ ORIGINELLE DE L'HOMME

M. L. : Ce qui distingue l'homme de l'animal, ce n'est pas l'intelligence (dont l'animal est également doué) mais l'imagination.

Cette imagination — dont les hommes sont très inégalement pourvus — s'accompagne d'une certaine paresse physique.

L'homme imaginatif a l'esprit prompt mais la chair faible. Il se représente facilement et rapidement ce qu'il faut faire, mais il a du mal à passer à l'acte.

Dans la société, ce sont donc les hommes « d'esprit », c'est-à-dire les plus imaginatifs, abstraits et physiquement paresseux qui vont faire exécuter par d'autres ce qu'ils imaginent assez bien et rapidement.

Pour cette classe d'hommes, il faut absolument trouver de « l'énergie physique » à exploiter.

Ils la trouvent d'abord chez leurs semblables, et savent les exploiter d'un grand nombre de façons.

Les intellectuels ont l'esprit prompt. S'ils ont du mal à agir, leur don de la parole exerce une espèce de fascination sur les classes laborieuses. Celles-ci travaillent dans le concret, et n'ont pas l'esprit plus rapide que le travail qu'elles exécutent.

On retrouve ici le rôle de l'imagination. Celui qui en possède le plus réussit à transmettre ses représentations à ses semblables, et à les entraîner dans la même illusion euphorique.

Se servant de ce pouvoir, les premiers intellectuels inventèrent le « système sorcier » ou « système pharisien ».

Le mécanisme du « système sorcier » est le plus primitif et le plus simple. En découlent les systèmes semblables, même les plus sophistiqués, permettant aux plus doués d'esprit ou d'imagination d'utiliser l'énergie physique des producteurs pour obtenir d'eux tous les biens matériels dont ils ont besoin.

Le sorcier se dit l'intermédiaire — le seul intermédiaire — entre les dieux et les hommes de la tribu.

Comment a-t-il été désigné, comment peut-il communiquer avec eux, c'est son secret.

Que peuvent les dieux ? Tout ce que les hommes espèrent et ne peuvent réaliser.

Ce sont des demandes individuelles, ou collectives, comme la pluie, pour lesquelles le sorcier va intercéder.

Il va le faire au cours de cérémonies spectaculaires, et il demandera beaucoup de présents pour les dieux.

Or seul le hasard fait coïncider la demande et sa réalisation.

Cependant si la réalisation ne vient pas c'est que les dieux, explique le « sorcier », sont mécontents de leurs fidèles — et ils ont bien des motifs pour cela.

Tous les intellectuels ne sont pas des pharisiens qui se servent de leurs dons pour abuser le peuple.

Le travail du bon intellectuel est considérable et demande beaucoup de recherches, d'honnêteté, de réflexion.

44

Cet intellectuel demande une juste rétribution pour un véritable travail.

Le pharisien, lui, veut le pouvoir avec tous les avantages qu'il peut procurer : considération, argent, avantages en nature.

Le pharisien possède des titres, des diplômes qui lui permettent d'être l'intermédiaire désigné de puissances dont la manière de s'exprimer est incompréhensible du *vulgum pecus.*

Les pharisiens, comme les sorciers, parlent beaucoup, savent créer un cérémonial qui les met en valeur, déclarent qu'ils sont au service de leurs frères, de leurs concitoyens.

Oui, servir est leur unique préoccupation et non recevoir des honneurs, de l'argent, des logements somptueux, des voitures luxueuses.

Ils n'acceptent pas toutes ces choses pour des satisfactions égoïstes, mais pour mieux représenter leurs concitoyens vis-à-vis des autres communautés.

Uniquement pour cela ?

Relisons ce que disait Jésus, selon saint Mathieu, sur les scribes et les Pharisiens.

« Les scribes et les Pharisiens occupent la chaire de Moïse : faites donc et observez tout ce qu'ils pourront vous dire ; mais ne vous réglez pas sur leurs actes : **car ils disent et ne font pas.** Ils lient de pesants fardeaux et les imposent aux épaules des gens, mais eux-mêmes se refusent à les remuer du bout des doigts. En tout ils agissent pour se faire remarquer des hommes. C'est ainsi qu'ils font bien larges leurs phylactères et bien longues leurs franges. Ils aiment à occuper le premier divan dans les festins et les premiers sièges dans les synagogues, à recevoir les salutations sur les places publiques et à s'entendre appeler "Rabbi" par les gens.

« Pour vous ne vous faites pas appeler "Rabbi" car vous n'avez qu'un maître et tous vous êtes des frères. N'appelez personne votre Père sur la terre, car vous n'en avez qu'un : Le Père Céleste.

Ne vous faites pas non plus appeler "Docteur", car vous n'avez qu'un Docteur, le Christ. Le plus grand parmi vous se fera votre serviteur.

Quiconque s'élèvera sera abaissé et quiconque s'abaissera sera élevé. »

FAISONS LE POINT

A. G. : Avant de continuer notre conversation, j'aimerais être sûr de vous avoir bien compris.

Vous avez d'abord insisté sur l'organisation des végétaux et des animaux — dont l'unique mission est la perpétuation d'un patrimoine génétique que chaque individu possède et doit transmettre.

M. L. : La perpétuation du patrimoine génétique intact de chaque végétal ou de chaque animal est la condition de survie de l'activité spécifique de chaque individu.

On peut trouver admirable le chant du rossignol le soir au fond des bois, mais si on se contente de l'enregistrer comme un bien culturel à conserver, c'est dérisoire. L'important c'est que le patrimoine génétique du rossignol, dans lequel est inscrit ce chant, se perpétue.

Si l'homme un jour disparaît de la terre, parce qu'il néglige de se perpétuer, toute discussion sur sa finalité, sur la finalité des civilisations, sur Dieu, devient sans objet. Tout aboutit au néant.

A. G. : Pour vous, l'Ordre Naturel est parfait par rapport à sa finalité. L'homme s'en est éloigné alors que biologiquement c'est un animal comme les autres.

Vous proposez une seule explication : L'imagination.

M. L. : Au cinéma, le ou les films peuvent vous faire éprouver tous les sentiments, toutes les sensations, toutes les excitations que la vie réelle, concrète, peut vous donner.

L'image s'adressera directement à votre imagination, qui a le pouvoir de se substituer à la réalité.

Si je mets un chien devant le même écran, avec des scènes de chasse, l'animal ne va pas participer.

A aucun moment vous ne fixerez son attention.

Par contre vous utiliserez son intelligence pour modifier son comportement.

A. G. : Pour vous, dans la Bible, cette différence entre l'homme et l'animal est due à une faute originelle.

M. L. : C'est exact, mais de nos jours beaucoup de croyants rejettent cette explication. Si l'homme s'est distingué de l'animal, c'est que Dieu lui a donné une parcelle de sa divinité, considèrent-ils.

Il y a donc opposition fondamentale entre les partisans du rachat consécutif au terrible péché originel et ceux, au contraire, qui voient l'homme comme l'élu de Dieu ; grâce à sa parcelle de divinité, il distingue le bien du mal. Il peut ainsi lutter contre le mal pour aller vers une sorte de perfection, alors que l'animal ne sort pas de sa méchanceté naturelle.

A. G. : Pour vous, qui a raison ?

M. L. : Je connais des hommes qui font des efforts admirables pour aller vers la perfection spirituelle.

Cependant quand j'observe le comportement de l'ensemble des hommes et le compare à celui des animaux, je crois plutôt à la faute originelle.

L'homme, aujourd'hui, a le pouvoir de détruire toute vie sur terre. Puis-je croire que Dieu, créateur de toute vie, a fait l'homme à son image pour qu'il détruise son œuvre sur terre ?

A. G. : Une troisième idée se dégage de notre conversation : l'homme n'a pas voulu son évolution, mais l'a subie.

M. L. : Certainement. Le changement est venu des inventions, à ne pas confondre avec les découvertes.

Il y a peut-être dix-mille ans ou plus, l'homme a découvert le pétrole. Mais sans inventions pour l'utiliser, ce n'était qu'un liquide puant et sale.

L'invention n'est jamais voulue, c'est un éclair de génie qui illumine l'inventeur.

Il y a l'invention, ensuite sa réalisation et son utilisation parmi les hommes. Or cette utilisation ne se répand qu'avec réticence : d'abord par certains qui voient là le moyen de surpasser les autres — lesquels sont ensuite obligés de l'adopter.

La transformation de la société par les inventions a d'abord été très lente.

De nos jours, la machine s'emballe et tout explose.

La quantité des inventions et la rapidité de leur mise en œuvre périme la plupart des objets que nous utilisons. Ils sont techniquement dépassés alors qu'ils fonctionnent encore parfaitement.

EXPLOITATION DE L'ÉNERGIE

M. L. : Une des conséquences importantes du « péché originel » est ce décalage entre la pensée et l'acte, traduit par une certaine difficulté à passer à l'acte. L'action a toujours quelque chose de rebutant et beaucoup cherchent des excitants — comme l'alcool — pour se mettre au travail.

D'où cette recherche de déléguer l'acte à quelque chose ou quelqu'un d'autre que soi-même.

Le piège qui permet de prendre la proie, que l'on convoite en se substituant à la chasse, a été une des premières conséquences de notre déviation originelle.

L'exploitation de l'homme par l'homme en est une autre conséquence très ancienne, avec l'utilisation des esclaves. Ce qui permet aux maîtres de passer plus de temps à penser, l'esclave étant le bras qui exécute.

L'antique civilisation grecque, tant vénérée en Occident, n'aurait jamais atteint un tel épanouissement sans l'esclavage — pourtant considéré comme infâme par les admirateurs de cette culture.

Parallèlement à l'utilisation de l'énergie humaine, l'imagination recherche la possibilité d'utiliser des énergies naturelles.

La première fut sans doute le vent qui fit tourner les moulins, et permit de se déplacer sur l'eau grâce aux bateaux à voiles. La force motrice de l'eau fut également employée pour les moulins.

A la même époque, ou peut-être avant, l'homme eut l'idée d'utiliser la vigueur animale, principalement celle des bovins et des chevaux.

Le souffle du feu fut utilisé d'une manière restreinte.

L'utilisation de toutes ces énergies naturelles et renouvelables, donc inépuisables, ne modifia pas fondamentalement l'équilibre naturel.

Il en fut tout autrement quand on découvrit la transformation du charbon puis du pétrole.

Grâce aux énormes réserves de houille et de pétrole, et à l'utilisation de la houille blanche pour faire de l'électricité, les hommes les plus industrieux bénéficièrent de ressources sans précédent.

Cette surabondance d'énergie permit la production d'une surabondance de biens de consommation.

Certes, tous les peuples n'en ont pas bénéficié de la même façon, mais c'est la première fois que la race humaine est confrontée à un tel phénomène.

En outre, fait encore plus important, la plupart des hommes ne gagnent plus leur pain à la sueur de leur front.

Ils ne sont plus astreints, comme ils l'étaient autrefois, à se battre de l'aube au crépuscule pour survivre.

Ils bénéficient d'un temps de loisir qui dépasse largement le temps de travail, soit environ 1 800 heures de travail sur 5 840 heures de veille (base 16 heures de veille sur 24 heures).

L'humanité a-t-elle atteint son but ?

Est-ce enfin le paradis sur terre ?

DANGERS REPRÉSENTÉS PAR LES SOURCES D'ÉNERGIE UTILISÉES À L'AUBE DE L'AN 2000

M. L. : Depuis un peu plus d'un siècle, l'homme a abandonné les sources d'énergie renouvelables que furent l'esclavage, la force animale, le vent, l'écoulement de l'eau, pour utiliser des produits stockés dans le sol en quantités limitées : le charbon, le pétrole, l'uranium.

Une nouvelle fission nucléaire serait, paraît-il, possible et procurerait une quantité d'énergie illimitée.

Peut-être, mais c'est probablement aussi loin que d'aller passer ses vacances sur la lune.

En fait la seule source d'énergie que tous les peuples utilisent pour mille usages, c'est le pétrole.

En Europe et aux États-Unis, il a totalement remplacé l'animal pour tous les travaux agricoles et les transports.

Ceux qui réfléchissent savent que l'Europe n'a pas de pétrole et que ses approvisionnements sont très vulnérables.

Si le pétrole manque, l'agriculture s'arrête. Revenir à l'utilisation des bœufs ou des chevaux, du matériel adapté à ces animaux poserait d'énormes difficultés. Presque tous les habitants seraient morts de faim bien avant le retour à une ancienne technologie.

Ceci n'est pas de la science-fiction, mais une véritable épée de Damoclès suspendue au-dessus de nos têtes.

Naturellement le manque de pétrole arrêterait assez rapidement les transports, puis l'industrie.

Presque plus de chauffage, des conduites d'eau gelant, et éclatant si l'hiver est rigoureux.

Heureusement les centrales nucléaires nous donneraient assez d'électricité pour regarder la télévision.

Même si nous échappons à une guerre — ce qui est loin d'être certain — l'épuisement du pétrole sera certainement accompli dans un siècle, soit très bientôt.

Mais attention, nous vivons un moment assez exceptionnel où l'offre en pétrole excède la demande — ce qui régularise les prix de vente.

Que dans dix ou vingt ans la tendance s'inverse, aussitôt les prix vont s'envoler.

C'est toute l'économie mondiale qui va s'en trouver modifiée avec la crainte des pays gros utilisateurs et non producteurs : l'Europe, le Japon et les pays asiatiques deviendront plus ou moins esclaves des pays producteurs (U.S.A., Russie, Moyen-Orient).

Ne seront-ils pas tentés de déclencher une guerre de dernière chance ?

Ne dit-on pas que le Japon a déclaré la guerre aux U.S.A. en grande partie parce que ce dernier pays lui avait coupé son approvisionnement en pétrole ?

Supposons ces périls évités, comment va-t-on remplacer le pétrole ?

Dans l'état actuel de la technologie, seule l'énergie nucléaire transformée en électricité pourrait le faire.

Il faudrait d'abord multiplier considérablement le nombre de centrales nucléaires, ce qui poserait de très très graves problèmes avec la population.

Que ferions-nous de cet énorme accroissement des déchets radio-actifs ?

Ensuite comment utiliser cette électricité dans les voitures, les tracteurs, les avions ?

On cherche depuis cinquante ans à améliorer le stockage de l'électricité dans des accus.

Le rapport poids/énergie est encore très élevé. L'on ne peut adopter cette solution que pour de petites voitures sur des parcours limités.

Pour les camions, et surtout les avions, on ne trouve aucune solution.

L'homme trouve toujours, disent certains esprits optimistes, qui n'ont d'ailleurs, eux, jamais rien inventé.

Le propre d'une invention : personne ne peut la prévoir. Attendons.

Par contre, les pays producteurs de pétrole verront disparaître une énorme source de richesse, et leur économie en sera bouleversée.

Pour certains, c'est même la seule source de profit. Que deviendront-ils ?

Réfléchissons également à l'énergie nucléaire utilisée militairement.

Le danger existant par suite de la prolifération des bombes atomiques est tel que beaucoup en ont parfaitement conscience.

Il ne nous semble pas nécessaire d'en parler très longuement.

MÉCANISME PERVERS DU PROGRÈS
EN ÉCONOMIE LIBÉRALE
EXEMPLE : L'AGRICULTURE

M. L. : Progrès, voici un mot dont les définitions sont diverses et ambiguës. Prenons-en une dans le *Petit Robert* : « Changement en mieux par lequel on approche d'un but, d'un résultat. »

Dans une économie strictement dirigée, on pourrait interdire l'utilisation des inventions ou découvertes individuelles, et n'accepter que celles favorables au progrès de la société humaine.

Seulement, qui dirait le bien et le mal, et déciderait des objectifs ?

Si la communauté décidait, des discussions à perte de vue aboutiraient difficilement.

Si la décision venait d'un dictateur, elle serait certes exécutée, mais pas meilleure pour cela.

En économie libérale, les inventions et découvertes sont le moteur du progrès.

Mais l'invention est toujours individuelle.

L'inventeur brusquement a une illumination.

Il croit toujours son idée excellente, mais la communauté va décider si elle est bonne. Or cette communauté ne décide pas d'une seule voix, mais individuellement et égoïstement.

Edison invente l'ampoule électrique. Certains de ceux à qui il la montre trouvent pratique de voir, la nuit, en tournant seulement un bouton. S'il y a beaucoup d'intérêt, un industriel voit le profit qu'il peut en tirer et fait le long travail de mise au point de la fabrication, à un prix acceptable.

Edison n'a pas prévu les développements futurs de son invention, pas plus que Diesel n'a soupçonné une seule seconde qu'un jour des millions de moteurs équiperaient et feraient circuler chaque année des automobiles, des navires, des camions.

Ainsi une invention ou une découverte devient-elle progrès si elle est adoptée par un certain nombre d'hommes qui la croient bénéfique.

L'herbe à Nicot fut considérée à ses débuts comme extrêmement bénéfique. Et il est vrai que le tabac aide beaucoup de personnes à mieux réfléchir.

Aujourd'hui nous avons la certitude que le tabac est une cause de cancer.

L'adoption d'une nouveauté résultant d'une ou plusieurs inventions ou découvertes dépend, dans l'économie libérale, de la seule décision des individus.

Puisque l'individu décide librement d'adopter les nouveautés lui paraissant bénéfiques, pourquoi collectivement ne seraient-elles pas bénéfiques ?

Cependant réfléchissons sur les progrès réalisés en agriculture depuis cinquante ans.

Jusqu'à une période récente la France a été peuplée majoritairement d'agriculteurs.

Ceux-ci formaient une classe où le travail était dur, les résultats incertains et soumis plus souvent à la météorologie qu'à l'erreur de gestion.

La paysannerie était stable. Les mœurs y étaient naturelles. Beaucoup de travaux se faisaient en commun comme la fenaison, la moisson, les vendanges, et se terminaient par de joyeuses fêtes.

Les fils succédaient à leurs pères — qui leur apprenaient leur métier sur le terrain, par la pratique. Ceux-ci restaient à la ferme jusqu'à leur mort, donnant des conseils, participant à la vie familiale.

Le progrès technologique restait très lent, car il était accepté avec beaucoup de réticences.

Les progrès sur les machines, immédiatement compréhensibles, étaient plus facilement adoptés que ceux de la chimie, dont le mécanisme pour améliorer les rendements paraissait mystérieux, et les conséquences tout à fait imprévisibles.

Tout cela allait être bouleversé dans deux domaines.

1) Le remplacement de l'énergie animale par l'énergie du pétrole.

2) D'importantes inventions chimiques donnant le jour aux engrais (pour améliorer les rendements), aux fongicides (pour détruire les champignons parasites des plantes), aux pesticides (pour tuer les insectes nuisibles) et aux désherbants sélectifs (pour tuer les mauvaises herbes).

Cela concerne la production végétale.

Pour l'élevage, outre l'amélioration des aliments préparés, l'insémination artificielle allait doubler les rendements du lait, et augmenter considérablement la production en viande, grâce à la possibilité, donnée à tous, d'utiliser les meilleurs géniteurs.

Bref, pour les paysans, enfin l'âge d'or commençait.

Moins de fatigue, moins de personnel, la fortune pour demain !

Mais demain n'est jamais arrivé !

Ici nous devons analyser le mécanisme pervers « d'un changement en mieux » que non seulement les agriculteurs, mais aussi les hommes de science, les futurologues, les experts, les hommes politiques saluaient comme la naissance d'une ère de prospérité enthousiasmante.

Personne n'avait prévu que le nécessaire équilibre entre production et consommation allait être rompu si fortement, que le « changement en mieux » allait se transformer pour les producteurs en pire, et même en catastrophe.

Tout le monde le sait maintenant : La paysannerie française est naufragée. Non seulement le nombre de paysans est en diminution vertigineuse (disparition de la plupart des petites fermes, parfois millénaires) mais la vie de ceux qui restent est profondément bouleversée.

Autrefois beaucoup d'hommes et de femmes vivaient dans chaque ferme. Les convives, nombreux autour de la table, se retrouvaient dans les champs.

Aujourd'hui les villages sont désertés, les fermes presque vides, les travaux se font en solitaire — sans même la compagnie d'un cheval ou d'une paire de bœufs.

Pire, cette nature si merveilleuse, au milieu de laquelle le paysan vivait, est saccagée.

Inutile d'aller à la rivière prendre quelques belles truites, pour se délasser : il n'y en a plus.

L'eau, polluée par les nitrates, engendre des algues nuisibles. Les micro-organismes dont se nourrissaient les alevins ont été exterminés par les pesticides, comme les milliers de papillons qui enchantaient la vue.

Exterminés aussi beaucoup d'oiseaux insectivores. Le

chant du rossignol devenu si rare, ne fait plus battre le cœur des amants.

Le paysan est totalement victime de ce désastre. Mais en plus — un malheur n'arrivant jamais seul — le voilà désigné à la vindicte publique, mis en accusation et condamné par les écologistes pour le saccage de la nature.

Oui, pour eux, producteurs, les progrès si prometteurs se sont révélés désastreux.

Maintenant voyons le côté des consommateurs.

Cette surabondance de nourriture leur a-t-elle apporté le bonheur ? Sont-ils les grands gagnants, puisque éleveurs et cultivateurs sont les grands perdants ?

Certes la surproduction a fait chuter les prix, et chaque fois qu'il y a excès de l'offre dans l'économie de marché, la rentabilité n'est atteinte que par un petit nombre des plus « performants » : les mieux équipés, mais aussi les plus surendettés.

Les autres disparaissent.

Les prix ont chuté sur tous les produits agricoles. C'est donc la joie chez les consommateurs ?

A voir !

Autrefois la très grande majorité de la population vivait à la campagne. Les villes elles-mêmes étaient petites, et l'approvisionnement se faisait par des cultivateurs, maraîchers et arboriculteurs du pays.

Les circuits étaient courts.

Beaucoup cultivaient leurs fruits et légumes, ne pensant qu'au plaisir de les manger, c'est-à-dire à leur saveur.

Aujourd'hui les circuits sont longs. Regardez l'étiquettage des emballages des fruits et légumes des supermarchés. Cela vient de loin !

Si vous allez trouver un acheteur de supermarché pour lui offrir vos pêches, il voudra les recevoir intactes, sans aucune meurtrissure et sans tache. Bien colorées surtout.

Vous voilà donc, arboriculteur, à la recherche de variétés très fermes et de bel aspect. Vous devez employer beaucoup de pesticides et de fongicides pour éliminer les taches et les piqûres d'insectes.

Pendant la culture, de l'engrais et beaucoup d'eau pour faire grossir vos pêches, vendues au poids.

Naturellement vous les cueillerez quinze jours avant leur maturité, pour qu'elles puissent voyager en toute sécurité.

Cette pêche achetée près de chez vous aura-t-elle le même goût que celles cueillies bien mûres par vos grands-parents — certes tachées, mais si juteuses et tendres et si goûteuses que c'en était un délice !

La pêche d'aujourd'hui, compte tenu d'un prix peut-être plus bas, vous apporte-t-elle autant de plaisir que celle d'autrefois ? Difficile à dire !

Ici nous abordons un problème d'évaluation extrêmement complexe, et qui touche à la philosophie de la vie.

Sommes-nous sur terre pour tirer le maximum de jouissance de tout ?

Même si nous acceptons le principe de cette recherche du plaisir, quel est celui que l'on peut tirer d'un aliment ?

Le repas, après une journée de dur travail en plein air, ne nous semble-t-il pas infiniment plus délicieux que le dîner sans faim après un travail ennuyeux au bureau ?

L'excès de plaisir, quel qu'en soit la nature, ne finit-il pas par transformer celui-ci en répulsion ?

L'augmentation de la production ne finira-t-elle pas par se heurter à un refus de consommer toujours plus ?

Dans cette brève analyse du résultat obtenu grâce à différentes inventions dans le domaine de l'agriculture, contrairement à ce qui était espéré par tous, ce progrès a été pour les producteurs une véritable catastrophe — et pour le pays un désastre sociologique.

Pour les consommateurs le bénéfice a été très discutable, l'amélioration très controversée.

Tout compte fait, il aurait mieux valu que ce « progrès » ne se soit jamais manifesté.

Son mécanisme pervers est très simple.

Premier acte : un fournisseur propose au cultivateur un produit pour doubler sa production sans rien changer dans sa manière de cultiver.

Et c'est vrai.

Le cultivateur double son rendementt et vend au prix du marché avec une seule dépense en plus, le prix du produit. Le bénéfice est énorme.

Deuxième acte : le fournisseur va voir les autres cultivateurs qui ont la même production, cite le cas du premier (qui a effectivement doublé son rendement) et vend son produit à tous ses confrères.

Troisième acte : l'offre doublant en quantité puisque tous les rendements ont doublé, les prix s'effondrent. Chacun offre un prix plus bas que celui du voisin pour vendre mais obligatoirement beaucoup ne pourront pas écouler. Les moins performants par la taille ou la technique disparaîtront les premiers.

Le produit miracle a ruiné la profession.

Nous voyons donc deux causes à ce mécanisme infernal.

1) L'invention qui est due à l'imagination créatrice propre à l'homme.

2) L'économie de marché, imposant une compétition impitoyable et féroce entre les entreprises agricoles, commerciales et industrielles.

Celui qui refuse les avancées techniques, n'est plus compétitif et disparaît. Seul gagne celui qui les recherche et les adopte avec discernement.

Et chacun se dit : il faut vivre avec son temps, même s'il est détestable.

C'est l'engrenage.

MÉCANISME PERVERS DU PROGRÈS
EN ÉCONOMIE LIBÉRALE
EXEMPLE : L'INDUSTRIE

L'économie libérale se caractérise par la liberté de produire et de consommer.

Dans quelque secteur que ce soit, tant que la production (l'offre) court après la consommation (la demande), le système fonctionne d'une manière satisfaisante.

Lorsque c'est le contraire, tout le système se détraque avec diverses conséquences plus ou moins dramatiques.

Nous avons vu que, concernant l'agriculture, la quantité de nourriture absorbée par chaque individu ne pouvait augmenter. Souvent elle a régressé avec la diminution continuelle du travail demandant un effort physique.

Dans l'industrie, on espérait que — avec la dictature des médias sur les esprits et en jouant sur les sentiments de vanité — l'on pourrait, grâce aux modes, chaque année renouvelées, inciter hommes, femmes et enfants à changer continuellement leurs vêtements, leurs voitures, leurs montres, leurs appareils de photo, leurs meubles et l'électroménager, leurs jouets, etc.

Bien que ce système entraîne un formidable gaspillage (presque tout ce qu'on jette ou change étant encore en parfait état), on pouvait espérer augmenter à l'infini la consommation, but affiché de tous les gouvernements.

Cette consommation artificielle ne se développait que dans un climat d'euphorie, de confiance en l'avenir.

C'est une consommation culturelle et non naturelle.

Cependant, on n'avait pas prévu qu'un sentiment de saturation peut apparaître. Par exemple, un jour, les voitures peuvent devenir si nombreuses que, dans d'immenses zones, elles deviennent inutilisables par suite des embouteillages et de l'impossibilité pour tous de trouver une place de stationnement.

Dès lors, pourquoi la changer ?

L'euphorie est psychologique. L'évolution du fonctionnement de la société où nous vivons qui, d'après tous les hommes politiques devait nous mener vers un mieux-être, peut, au contraire, donner des signes inquiétants de régression.

Le doute nous pénètre et les projets d'avenir s'évanouissent.

Bref, la consommation stagne et la production, par le système de la concurrence, continue à progresser et dépasse la demande.

La productivité étant la loi de la production dans un système libéral, afin de diminuer les prix de revient, on est amené à utiliser à plein temps des machines dont le coût est très élevé.

D'où l'institution du travail en trois équipes qui, pour celles de jour, empêche la vie de famille, les repas et les distractions prises en commun, et pour celles de nuit y ajoute la détérioration de la santé.

En allant plus loin, on travaille également le samedi et le dimanche, ce qui déstabilise davantage la cellule familiale.

L'entreprise cherchant toujours à améliorer sa productivité, lorsque les ventes stagnent et que dans son secteur l'offre dépasse la demande, les prix s'effondrent.

Nos ministres, qui comprennent mal le fonctionnement de l'économie libérale, se réjouissent de cette baisse des prix de vente, de ces offres spéciales, promotionnelles, de ces braderies — alors qu'elles accélèrent la décomposition du tissu industriel en détruisant le bénéfice nécessaire.

L'entreprise, pour améliorer sa rentabilité, est amenée à robotiser à outrance, ou à délocaliser sa production dans des pays où la main-d'œuvre est beaucoup moins coûteuse.

Dans les deux cas, c'est l'engrenage du chômage qui lui-même augmente le pessimisme général et la sous-consommation.

Ainsi, les progrès réalisés dans le domaine des moyens de production, loin d'apporter abondance et bonheur, provoquent tout un cortège de catastrophes imprévues.

A. G. : Est-il possible de résoudre ces problèmes ?

M. L. : On le peut.

Il faut produire moins en interdisant tous les travaux qui dégradent l'homme soit par leur stupidité, soit par leurs horaires.

Il faut produire mieux afin que ce que l'on fabrique puisse se conserver le plus longtemps possible, comme cela se passait autrefois.

Il faut consommer mieux en interdisant de provoquer des achats de vanité, conséquence d'un énorme gaspillage.

A. G. : Mais nos produits ne seront plus compétitifs.

Nous ne pourrons plus exporter et nous serons envahis par la production étrangère.

M. L. : C'est vrai. Il faut donc refuser toute compétition avec ceux qui sont prêts à n'importe quoi pour produire toujours moins cher.

Nous ne devons pas nous ouvrir au monde mais nous fermer au monde.

CAUSES DU DÉVELOPPEMENT
DES CONNAISSANCES ABSTRAITES

M. L. : La définition du mot *culture* est assez ambiguë et très discutable.

Prenons celle-ci : « ensemble des connaissances acquises qui permettent de développer le sens critique, le goût, le jugement ».

Si nous nous reportons à la définition du mot *critique* nous lisons : « jugement esthétique » ou « jugement intellectuel ».

Donc critique ne va pas sans jugement et jugement c'est : « approbation, blâme, critique, réprobation ».

Quant au goût, c'est soit un sens permettant de percevoir les saveurs propres aux aliments, soit au figuré une aptitude à donner un avis, un jugement, une opinion sur une œuvre d'art ou une production de l'esprit.

Nous tournons en rond.

Pour nous le sens critique, le goût, le jugement sont innés, qu'ils soient bons ou mauvais. Les connaissances acquises, et particulièrement la pratique du langage permettent seulement de les communiquer.

Molière ne dit-il pas : « Apprends, marquis, je te prie, et les autres aussi, que le bon sens n'a point de place déterminée à la comédie ; que la différence du demi-louis d'or et de la pièce de quinze sols ne fait rien du tout au bon goût ; que debout ou assis on peut donner un mauvais jugement et qu'enfin à le prendre en général, je me fierais assez à l'approbation du parterre parce que presque tous ceux qui s'y trouvent jugent par la bonne façon de juger, qui est de se laisser prendre aux choses. »

On peut être enchanté par la musique, mais être incapable d'exprimer le bonheur qu'elle procure.

A contrario, un critique musical au goût peu sûr, sera capable de parler pendant des heures d'un musicien, d'une symphonie.

Aucune connaissance acquise ne permettra d'augmenter l'intensité de vos sensations devant une œuvre d'art.

Elle sert seulement à les transmettre, et uniquement pour briller en société. C'est une culture assez négative.

La culture soutient des êtres qui n'ont ni goût ni sens critique, ni jugement. Ils tiennent leur place en société en digérant très soigneusement les critiques des œuvres qu'ils vont voir, des livres qu'ils parcourent.

Ils répètent ce que d'autres ont dit ou écrit. Aussi, beaucoup croient-ils que la culture donne du sens critique, du goût et du jugement.

Jusqu'à une période récente (XVe siècle) la transmission des œuvres de l'esprit, littéraires ou philosophiques, était aussi difficile que celle des techniques, du savoir-faire.

Probablement des dizaines de Balzac ont vécu à cette époque. Ils se contentaient de raconter de merveilleuses histoires le soir à la veillée, et tenaient sous le charme l'auditoire. Mais elles disparaissaient au fur et à mesure qu'elles étaient imaginées et dites.

Les techniques, le savoir-faire, se transmettaient par l'exemple et l'utilisation. Dès qu'ils étaient dépassés, ils disparaissaient.

La durée de vie des techniques était cependant beaucoup plus longue. Celle des œuvres abstraites ne vivait que le temps du conte.

Certes, un très petit nombre d'œuvres fut manuscrit et plus ou moins bien conservé.

Elles ne pouvaient être consultées que par quelques privilégiés.

Avec l'invention de l'imprimerie tout cela fut bouleversé, inversé.

Le savoir-faire et les techniques continuaient à se transmettre de maître à apprenti, mais les œuvres littéraires et philosophiques pouvaient être connues par des dizaines de milliers de personnes dans différents pays.

Nous avons assisté au même phénomène, plus récemment, pour la musique populaire et ses interprètes.

Tel chanteur à la voix fluette devant lequel se pâme la jeunesse du monde entier, grâce aux disques, aux cassettes, à la radio, à la télévision, etc. gagne en un an cent fois plus que le plus valeureux, le plus travailleur des ingénieurs pendant toute sa vie. Il n'aurait été, voilà un siècle qu'un pauvre petit chanteur pour les salles de noces ou quelques rares estaminets.

Petit public pauvre, petites recettes, vie misérable.

Les temps ont bien changé.

Ainsi, grâce à ces nouveaux moyens de communication, ces chanteurs sont devenus des personnages importants, admirés, vénérés, consultés pour tout et pour rien.

Que l'un d'eux donne son nom à un parfum et c'est l'envolée. Qu'il critique un parti politique et celui-ci perd aussitôt des millions de voix.

Ce phénomène très intéressant s'est produit avec les hommes de l'abstrait. L'invention de l'imprimerie leur a donné une importance considérable.

Alors que les hommes du concret conservaient la même place dans la société, les hommes doués pour le savoir-dire se voyaient propulsés sur les hauteurs.

A ce moment-là, les activités de l'esprit furent considérées comme majeures, alors que le savoir-faire remarquable d'un paysan, ou d'un artisan était dévalorisé.

Les intellectuels, profitant de la puissance de ce nouveau moyen de communication, enseignèrent même les techniques de manière abstraite.

Ce fut la fin de l'apprentissage.

Désormais, celui qui savait faire ne transmettait plus directement son savoir par l'exemple, mais celui qui savait dire expliquait comment théoriquement il fallait procéder.

C'est donc pour une cause concrète, l'invention de l'imprimerie, que se développèrent les connaissances abstraites, la « culture ».

ÉVOLUTION DES MOYENS DE TRANSMETTRE LA CONNAISSANCE : SAVOIR-DIRE, SAVOIR-FAIRE

M. L. : Pendant une longue période l'homme s'est battu pour survivre. Il évoluait dans un environnement concret, et les mots désignaient des objets précis quand on ne pouvait pas les montrer.

La connaissance ne se transmettait que par l'exemple. Les mots ne pouvaient se détacher des choses. Ils n'avaient pas d'existence propre.

Tous les hommes qui n'avaient pas une activité concrète périssaient. Pas de place pour les intellectuels, sauf pour le petit nombre réussissant à convaincre leurs semblables de l'existence des dieux aux grands pouvoirs, et dont ils étaient les intermédiaires désignés.

Cependant, grâce à l'invention de l'écriture les mots se détachèrent des choses, et prirent leur autonomie.

Ainsi naquirent les connaissances abstraites, transmises par le langage.

La ligne de partage est assez floue. En tout homme existe un manuel, un être qui aime œuvrer avec des objets tangibles, et un intellectuel — qui se satisfait de travailler avec les signes, les symboles, les mots. Peu à peu se créa une classe d'intellectuels qui prit une petite place parmi l'immense classe des manuels.

Naturellement, il fallut améliorer les moyens de production, entièrement entre les mains des manuels, afin qu'une certaine part des biens de consommation puisse être utilisée par les intellectuels consommant sans produire.

Cela reste schématique, et l'on peut discuter du degré d'utilité des intellectuels dans le processus de production des biens de consommation.

La Fontaine — qui présente assez bien le point de vue des non-intellectuels d'autrefois — raconte dans une fable la mésaventure de deux hommes qui trouvent une huître sur le sable. L'un l'a vue, l'autre l'a ramassée. A qui est-elle ?

Un homme de loi, un intellectuel, est appelé pour dire la justice. Il ouvre l'huître, la gobe et donne à chacun la moitié de la coquille. Justice est faite.

Voilà le point de vue des manuels : les intellectuels ne sont que des parasites.

A. G. : Le pensez-vous ?

M. L. : Absolument pas. Dans nos sociétés, déterminer le rôle et l'utilité des intellectuels est très difficile et complexe. Nous y reviendrons.

Et puis il y a intellectuel et intellectuel.

Après tout La Fontaine et Molière étaient des intellectuels résolument et totalement contre une classe de penseurs assez différents.

A. G. : Différents en quoi ?

M. L. : Cette classe si bien décrite par Molière se croit totalement supérieure à celle, manuelle, des gens du concret — qui se nourrit de « bonne soupe et non de beau langage » et n'a pas honte de le faire, ni de le dire.

A. G. : Manuelle ? C'est un peu méprisant.

M. L. : C'est vrai, mais c'est une invention des intellectuels. Je préfère la distinction avec d'autres mots, comme les hommes du savoir-faire ou du savoir-dire.

Les hommes du savoir-faire peuvent très bien ne jamais se servir de leurs mains, mais ils ne sont à l'aise que dans le monde des choses.

Napoléon avait du savoir-faire, mais il était presque inexistant pour le savoir-dire.

Le moindre politicien s'exprime dix fois plus en un an que Napoléon pendant toute sa vie.

Napoléon aimait les choses concrètes, pas les abstractions. C'est pourquoi il était en quelque sorte un manuel selon la terminologie actuelle.

A. G. : Que reprochez-vous aux intellectuels ?

M. L. : De ne pas tenir la balance égale entre les hommes du savoir-dire et ceux qu'ils appellent les manuels, les hommes du savoir-faire.

Je leur reproche aussi de privilégier les connaissances abstraites et la communication par signes, mots, symboles à tel point que le savoir-faire n'est plus enseigné dans les écoles. Ils empêchent même la transmission du savoir-faire à l'intérieur des familles (notamment de mère à fille) qui fonctionna admirablement pendant des siècles. Ils obligent les filles à aller à l'école où seule la transmission des connaissances abstraites est réalisée, et leur expliquent qu'apprendre le savoir-faire est dégradant alors qu'apprendre le savoir-dire permet d'acquérir le bien suprême : la culture.

Je leur reproche de mépriser la nature et les hommes qui exercent un métier près d'elle (où seul le savoir-faire compte). Ils ont même créé des mots spéciaux pour désigner les paysans et les hommes proches de la vie naturelle.

Prenons quelques mots trouvés dans le Larousse pour

désigner les paysans : « bouseux », « croquants », « cul-terreux », « péquenauds », « ploucs »...

Ici éclate tout le mépris des intellectuels pour ces gens-là.

Voici encore quelques mots trouvés dans le Larousse pour désigner des hommes ayant une vie naturelle :

Brute : « Qui est resté à l'état de nature ».

Animal : « Personne stupide et grossière ».

Bête : « Stupide ».

Bestialité : « Caractère de l'homme qui se livre à tous les instincts de la brute ».

Un bon observateur des animaux sauvages ne peut accepter ces définitions.

Ils ne sont ni stupides, ni grossiers, ni bestiaux dans son sens péjoratif.

Chez eux, pas de perversion sexuelle.

La sexualité y provoque des pulsions violentes qui durent très peu, et tiennent une place minime dans leur vie.

Le vagabondage sexuel n'existe pas, la fidélité étant la règle.

Les animaux ne brutalisent pas leurs petits, ils les défendent contre toute agression au péril de leur vie.

Souvent, les animaux sont prêts à sacrifier leur vie pour défendre leur communauté.

S'il existe parmi les êtres vivants des comportements ignobles, écœurants, révoltants, c'est bien seulement chez l'homme qu'on les trouve.

Oui, je le répète, je reproche aux intellectuels, aux hommes du savoir-dire, de ne pas avoir tenu la balance égale entre eux et les hommes du savoir-faire — qui deviennent de plus en plus les parias de la société.

Naissance de l'idéologie culturelle

A. G. : Votre analyse du savoir-dire, du savoir-faire et des intellectuels est intéressante. Pour vous, ceux-ci ne forment pas un bloc uni par le respect des connaissances abstraites et le mépris des connaissances concrètes.

Pour certains intellectuels, la hiérarchie est très nette entre le haut : les signes, les mots, les symboles et le bas : les choses, les objets, la nature, les animaux.

Pour vous, tous les intellectuels ne sont pas unis autour de ce nouvel ordre de valeurs.

Vous citez Molière, dont le savoir-dire est admirable. Cependant Molière, dans toutes ses pièces de théâtre, combat les intellectuels de son époque — qui se piquent de connaissances abstraites et affectent un grand dégoût pour le concret.

M. L. : Vous avez parfaitement compris ma pensée.

Je vous ai déjà exposé le principe « sorcier » qui devint le principe pharisien implacablement combattu par Jésus de Nazareth.

Le pharisien considère que sa connaissance approfondie des textes religieux lui donne le droit d'être le seul guide de ses contemporains. Il les dirige et il les juge au nom de Dieu. Grâce à son immense culture religieuse, il se prend pour le seul intermédiaire entre le créateur et les hommes.

En outre cette position hiérarchique procure admiration

et respect, ainsi que des avantages matériels non négligeables.

Cette recherche de la perfection spirituelle et ce déta-
chement du temporel lui fait parfois considérer les écarts
de conduite comme de peu d'importance.

Molière a très bien dépeint dans *Tartuffe* un pharisien
particulièrement antipathique.

A. G. : Pourquoi les intellectuels — qui colonisaient une
partie de la hiérarchie religieuse — l'ont-ils quittée pour
créer un nouvel ordre ?

M. L. : La parfaite connaissance des textes ne suffisait
pas à beaucoup de croyants. Il fallait avoir un comportement exemplaire et conforme à la Loi Divine.

De nombreux saints donnèrent l'exemple.

Ce fut également la grande révolte de Jésus osant
demander : « La loi a-t-elle été faite pour l'homme, ou
l'homme pour la loi ? » Un comportement conforme à ce
que Dieu demande peut aller contre la Loi écrite, si les
circonstances obligent à choisir entre la forme et le fond.

S'adresser directement à Dieu, ne pas trop s'occuper
des rites, des dogmes, de la loi, voilà l'insupportable pour
les pharisiens.

Il y eut également la révolte de Luther.

Bref les purs intellectuels cherchèrent la Vérité en dehors
de la religion :

Les connaissances humaines pouvaient se transmettre
par des signes, des mots, des symboles. Ils considérèrent
les connaissances ne pouvant se transmettre que par
l'exemple concret comme négligeables et sans importance.
Le savoir-faire et sa transmission étaient juste tolérés.

Ce nouvel ordre naquit au XVIIIe siècle avec une œuvre

monumentale, *L'Encyclopédie*, composée sous la direction de Diderot et d'Alembert.

L'Encyclopédie, c'est l'ensemble théorique des connaissances abstraites. Le savoir-faire, le principe de presque tous les métiers, y est totalement négligé.

En outre ces hommes, d'un orgueil démesuré, pensaient que savoir c'est pouvoir.

C'était donc à eux, hommes du plus grand savoir, de diriger les affaires de l'État, d'organiser la société nouvelle, de préparer l'Âge d'Or grâce aux progrès des sciences et de la connaissance.

Le projet était grandiose et l'on y voyait les prémices d'une société égalitaire, communiste, parfaite.

Il fallait pour cela retirer les enfants de la maison familiale, où ils ne pouvaient recevoir que cette misérable transmission parents-enfants.

Les garçons devaient apprendre l'agriculture, ou la menuiserie, ou l'art de forger, ou la maçonnerie à l'école, et ce afin d'avoir des connaissances modernes et de pouvoir profiter des progrès de la science. Quant aux filles, on ne leur apprendrait même pas théoriquement à coudre, à tricoter, à laver le linge, à faire la cuisine, à gérer la basse-cour. Activités tellement vulgaires qu'il valait mieux les oublier. Ce savoir-faire s'est donc volatilisé.

Les écoliers devaient devenir de petits encyclopédistes bourrés de connaissances abstraites, mais incapables de nouer leurs lacets de chaussures.

Au fait, essayez d'apprendre à un enfant à nouer ses lacets de chaussures avec des mots, vous n'y arriverez pas.

Par l'exemple concret, vous réussirez très vite.

Le savoir-faire ne peut se transmettre que par l'exemple.

A. G. : Maintenant que vous avez déversé votre bile sur un certain type d'intellectuels, pourquoi appelez-vous leur doctrine *idéologie culturelle* ?

M. L. : Au temps des encyclopédistes, le mot culture dans sa définition actuelle n'existait pas.

Même en 1922, le *Larousse Universel* l'ignore. Il parle seulement de culture des choux et de culture mathématique, dans le sens de développement. On cultive un chou pour le faire grossir, on cultive les mathématiques pour accroître les connaissances qu'on en a.

La définition de la culture — ensemble des connaissances acquises — n'existe que depuis la Seconde Guerre mondiale.

Le mot a fait florès, il est utilisé à toutes les sauces.

La culture est donc le bien suprême que tout citoyen doit aspirer à posséder. L'État doit le distribuer en abondance d'abord à l'école et ensuite à tous, petits et grands, à travers les médias et par de multiples manifestations « culturelles ».

Cependant, cette idéologie culturelle repose sur un postulat complètement faux.

Dès lors, une société qui y adhère fait fausse route. Elle va vers le désordre des idées et des choses, et les dirigeants vont peu à peu être dépassés par les événements, qui évoluent selon une autre logique.

L'INNÉ ET L'ACQUIS

A. G. : Vous me mettez l'eau à la bouche. Quel est donc ce postulat, pierre angulaire de l'idéologie culturelle, d'après vous complètement faux ?

M. L. : Permettez-moi de revenir en arrière, à l'époque des intellectuels-encyclopédistes d'avant la Révolution française. Ils voulaient que toutes les connaissances humaines soient mémorisées par le moyen des mots, des signes, des symboles, des chiffres, bref, entrent dans le monde de l'abstrait.

Bien avant eux, leurs semblables utilisaient le langage pour ce qui appartenait en propre à son domaine : la littérature, la philosophie, la poésie.

Ils laissaient les menuisiers transmettre leur culture concrète, leur savoir-faire par l'exemple, la mise à l'épreuve, la correction des erreurs. C'est ce qu'on appelait l'apprentissage.

Cependant nos intellectuels-encyclopédistes pensaient : savoir avec des mots c'est Pouvoir, et plus on sait, plus on peut.

Ils trouvèrent donc légitime de réclamer le pouvoir et de mettre en place une nouvelle hiérarchie culturelle se substituant à l'ancienne, basée sur les capacités héréditaires.

Les dérives de l'ancien système étaient flagrantes et ceci pour deux raisons. D'abord le mariage, conséquence de l'estime réciproque et de l'amour, fut peu à peu remplacé par l'union d'intérêt. D'autre part, les domaines et privilèges conquis de haute lutte par les ancêtres grâce à leur capacité devinrent héréditaires, même si les descendants n'en étaient absolument pas dignes.

Ainsi ce système — qui n'était pas mauvais en soi — devint souvent absurde. Il donnait de grands biens et de grands pouvoirs à des incapables souvent méprisables, car ils gaspillaient leurs revenus en plaisirs et fêtes dont la vue choquait une population laborieuse économisant le moindre sou pour survivre.

La classe des intellectuels-encyclopédistes n'eut donc pas de mal à semer le vent pour récolter la tempête : dresser les paysans et les artisans contre les privilégiés de l'aristocratie.

Le tiers-état fut le bras, et les encyclopédistes furent la pensée.

Cependant la tempête fut plus forte que prévue, incontrôlable, et bien des intellectuels devinrent les victimes de leur bombe à retardement.

Leur système de société, dirigée par les hommes de savoir, s'écroula. L'anarchie devint telle qu'il fallut un homme d'action pour remettre de l'ordre : Napoléon.

Sous son règne, ce type d'intellectuels eut moins de pouvoir et moins d'honneurs que sous l'ancien régime.

A. G. : Mais depuis ils ont pris leur revanche. L'idéologie culturelle règne sans partage sur l'Occident, et peut-être même sur le monde entier.

M. L. : C'est vrai. Elle règne mais ne gouverne pas. Nos sociétés ne sont pas dirigées. Elles évoluent suivant les circonstances.

Regardez nos mœurs. L'invention de la pilule provoqua

l'explosion du vagabondage sexuel. Le « sida » stoppa cette évolution et la fit régresser à toute allure. Nos maîtres à penser ne sont pour rien dans ces évolutions.

Mais revenons à l'idéologie culturelle, aux objectifs excellents.

Les hommes naissent égaux en droits.

Tous ont droit à une même éducation qui doit leur donner d'abord la Culture, bien inestimable entre tous, ensuite une formation civique leur apprenant la haine de la violence, de l'exclusion. Les conflits peuvent être apaisés par le dialogue et la raison. Les problèmes d'une communauté — petite ou grande — doivent être résolus par le suffrage universel. La minorité acceptera de bonne grâce la décision de la majorité.

Je n'ai rien à redire à ce programme. Il repose sur ce postulat : l'enfant peut être formé pour devenir citoyen modèle.

Si c'était vrai, alors, je dis « oui » sans restriction à l'idéologie culturelle.

Les problèmes de l'humanité trouveraient une solution.

On apprendrait aux enfants africains qu'ils ne doivent pas pratiquer l'exclusion, que les guerres tribales sont déraisonnables, car les hommes des autres tribus sont leurs frères.

On leur apprendrait l'ordre, l'organisation et la prévoyance comme les Suisses.

Leur pays étant beaucoup plus riche, leurs problèmes économiques seraient vite résolus.

Hélas, cela ne marche pas, et c'est bien regrettable.

L'idéologie culturelle repose sur ce principe : tout est acquis, rien n'est inné.

Même ce qu'autrefois on croyait inné ne serait que le résultat d'événements extérieurs subis par le petit enfant, le bébé, le fœtus pendant la grossesse de la mère.

Tout cela ressort de l'inconscient, qu'on peut donc façonner en organisant ces influences extérieures.

La partie consciente de l'enfant est formée par l'éducation.

Donc en théorie, rien ne s'oppose à ce qu'on « fabrique » des Suisses identiques à des Noirs africains, et vice versa.

En pratique, le résultat est complètement négatif.

Or notre société continue à reposer sur ce principe qu'un homme est le résultat de son éducation.

Un président de la République dit que le budget de l'Éducation nationale doit être le premier en importance : de lui dépend l'avenir de la France.

Plus on mettra l'argent dans l'Éducation nationale, plus il y aura en France de bons agriculteurs, d'excellents industriels, des poètes, des écrivains, des savants, des inventeurs, des gestionnaires.

C'est la clef de notre avenir.

On a donc mis énormément d'argent à un bout de cette machine, et on est allé voir à l'autre bout ce qui en sortait.

Beaucoup d'illettrés, ou de quasi-illettrés, beaucoup de têtes à moitié pleines qui se vidaient très vite après la sortie de la machine, et pas plus d'hommes éminents qu'autrefois — quand on dépensait dix fois moins pour l'Éducation.

Cette machine représente un formidable gaspillage.

A. G. : Revenons à nos principes de base, la part de l'inné et de l'acquis dans tout individu.

M. L. : Je me souviens qu'étant gosse, je commençais à m'intéresser à la culture des plantes.

J'avais des géraniums en pots, et je mettais des morceaux de sucre pour qu'ils poussent plus vite. Le sucre n'est-il pas énergétique ?

Seulement voilà, dans le patrimoine génétique du géranium, le sucre n'est pas programmé comme une nourriture assimilable.

Mes géraniums ne poussaient pas plus vite.

Finalement l'inné c'est presque tout, et l'acquis presque rien.

Au début de notre conversation, souvenez-vous, je vous ai parlé du chêne des Causses, qui avait très peu de nourriture (acquis) et du chêne du Perche qui en avait beaucoup.

Je vous ai également expliqué que les animaux pouvant se déplacer, les différences sur la quantité de nourriture entre les individus était faible.

Cette nourriture, cet acquis ne résulte pas d'un libre choix (simplement en apparence pour l'individu), mais d'une programmation.

Si un paysan a trop de tabac cultivé, qu'il ne peut vendre et décide de le donner à ses vaches, si c'est une nourriture programmée comme non assimilable ou néfaste, elles n'y toucheront pas.

Il en est de même pour l'homme. Pour chacun de nous, il y a des « nourritures spirituelles » qui sont assimilables, et d'autres pas.

Si l'on veut de force nourrir un individu de « nourritures spirituelles » pour lesquelles il n'est pas programmé, il peut les mettre dans sa mémoire, d'où elles seront rejetées le plus tôt possible.

Ainsi, même l'acquis dépend de l'inné.

A. G. : Pour vous l'idéologie culturelle repose sur un postulat faux. Pourquoi dans ces conditions reste-t-elle en place ?

M. L. : Nos intellectuels-encyclopédistes, qui rêvaient d'une société idéale, pensaient naturellement qu'ils en seraient les dirigeants.

Notre idéologie culturelle est devenue tout à fait absurde. Mais ceux qui en vivent défendent ses principes, parce que ce sont des dogmes indiscutables. D'autres l'acceptent sans y croire parce qu'ils font partie du système.

Si on avait pu former les enfants pour qu'ils deviennent des citoyens disciplinés, tolérants, pacifiques, propres, accueillants, cela aurait été tout à fait merveilleux.

Je ne vois aucun problème de société qui n'eût pu être résolu de cette façon.

Malheureusement ça n'est pas possible. Chaque être humain est programmé à sa naissance. C'est dans son patrimoine génétique qu'est inscrit ce programme.

Chaque être humain naît avec un destin rarement accompli complètement. Cela dépend des circonstances. *Mais en aucun cas on ne peut lui choisir un autre destin.* Le vouloir, c'est le rendre malheureux ou le pousser à la révolte.

A. G. : Pourtant bien des parents pensent sincèrement qu'ils ont appris à leurs enfants à se conduire d'une certaine façon.

M. L. : Beaucoup de traits de caractère du père se retrouvent chez le fils par les lois de l'hérédité. Cela donne l'illusion au père que son éducation a transmis ces traits de caractère.

En fait, il n'en est rien.

Si l'on donne des œufs de cane à couver à une poule, lorsque les canetons naissent, elle les élève comme des poussins.

Quand ils s'approcheront d'une mare, la mère poule poussera des cris pour dissuader ses petits d'aller s'y noyer.

Mais les petits canetons sont programmés pour nager.

Rien n'y fait, ils nagent aussi bien que si la poule était une cane.

Cependant, lorsque celle-ci élève des canetons, elle est très fière de leur avoir appris à nager.

Laissons-lui cette illusion.

Permettez-moi, pour terminer ce chapitre de citer la morale d'une fable, presque inconnue, de La Fontaine : *La souris métamorphosée en fille*. Voici ces vers.

« Il en faut revenir toujours à son destin
C'est-à-dire, à la loi par le ciel établie :
Parlez au diable, employez la magie
Vous ne détournerez nul être de sa fin. »

CONNAISSANCE ET DIPLÔMES

A. G. : Mais, Bon Dieu, vous n'allez tout de même pas dire que l'éducation ne sert à rien !

M. L. : Je ne l'ai pas dit, mais son objet n'est pas simple.

L'éducation est une pièce maîtresse dans le fonctionnement de l'idéologie culturelle. Même si les résultats sont décevants, l'idéologie culturelle fonctionne, et il est bon d'expliquer comment.

Dans ce système, les intellectuels veulent se réserver les postes en haut de la hiérarchie, qui rapportent honneurs, considération, profits.

Or, ces postes ne sont accessibles dans l'administration et dans les grandes entreprises privées, qu'aux hommes et aux femmes titulaires d'un diplôme.

Ces diplômes sont délivrés après des études et un examen. Le programme a été soigneusement élaboré par les intellectuels pour n'être facilement assimilables que par leurs semblables.

Or, ce programme ne représente pas un ensemble de connaissances indispensables pour exercer un métier ou une fonction. Il sélectionne les élèves très à l'aise pour manier les mots, les signes, les symboles.

A. G. : Vous exagérez.

M. L. : Ouvrons le *Petit Larousse* au mot diplôme. Que lit-on ? « Pièce officielle établissant un privilège ».

A. G. : C'est une ancienne définition.

M. L. : Pas si sûr.

Prenons l'exemple du diplôme de pharmacien. Il faut au moins cinq ans d'études pour l'obtenir.

Dans la profession, un pharmacien n'exerçant pas pendant dix ans n'a plus que des connaissances obsolètes ; il est inapte à exercer. Cependant vous pouvez obtenir le diplôme puis exercer un tout autre métier pendant 10 ans parce que votre beau-père vous demande de le seconder.

Puis, ayant fait un héritage, vous achetez une pharmacie alors que vous n'avez plus les connaissances permettant d'exercer.

Cependant ce diplôme ancien vous permet sans aucun doute d'être pharmacien. C'est le privilège du diplôme, exorbitant.

A. G. : Mais vous ferez faillite.

M. L. : Pas du tout. Avec quelques bons préparateurs, des dispositions pour l'informatique et la gestion, vous réussirez.

Qu'est-ce qu'un examen de fin d'études ? Un sondage sur le savoir du candidat, fait un jour donné en l'interrogeant sur une ou deux questions permettant de vérifier ses connaissances sur un ou deux sujets — parmi des centaines.

Un candidat est heureux : il venait juste de réviser le sujet sur lequel on l'a questionné.

En outre, un élève — c'est de plus en plus fréquent — est comme un acteur apprenant à fond le texte et les jeux de scène de la pièce qu'il va jouer. Puis, il s'empresse de tout oublier quand ces connaissances ne lui servent plus à rien, pour se consacrer entièrement à la nouvelle pièce pour laquelle il est engagé.

Le diplôme, privilège exorbitant, rente de situation, va lui donner automatiquement de très grands avantages par rapport à ceux qui ne l'ont pas, sans tenir aucun compte de l'efficacité réelle.

A cela le diplômé répond : « Je n'ai pas fait sept ans d'études pour me retrouver sur la même ligne de départ que celui qui n'a pas de diplôme. »

Dans l'administration d'État gérant près de 50 % du produit intérieur brut, à chaque diplôme correspond une carrière. Les fonctionnaires font une carrière en ligne droite, sans surprise. Mais entre la personnalité efficace et l'inapte, la différence est faible dans la façon dont elle se déroule.

Dans la haute fonction publique, et jusqu'à un certain point dans les grandes entreprises, les diplômés forment une Nomenklatura qui défend ses privilèges considérables.

Il est comique, ou tragique, de voir telle « grosse tête » hyper-diplômée, ayant échoué dans le transport aérien, s'entendre proposer la direction d'une chaîne de télévision ! ce n'est pas, hélas, une exception qui confirme la règle, mais la règle perpétuelle...

L'incompétence et l'inefficacité restent pourtant au même niveau de salaire et de considération.

A. G. : Existe-t-il d'autres moyens d'acquérir des connaissances et de sélectionner les meilleurs ?

M. L. : Naturellement. Pendant des siècles et des siècles les connaissances (savoir-faire et savoir-dire) étaient transmises directement par l'homme de l'art à l'élève sans passer par les professeurs.

Le philosophe avait ses disciples, le peintre ses élèves, le menuisier ses apprentis.

C'était donc dans le métier, dans la profession, avec le formateur ; aucun travail ne vous était confié sans la preuve que vous pouviez l'exécuter.

Faire sa carrière grâce à la réussite dans le métier qu'on exerce est parfait à tous points de vue. *C'est d'une évidence aveuglante,* mais ce système de promotion par le résultat est combattue sans relâche par l'idéologie culturelle.

Je me souviens d'avoir eu un jour la visite d'un journaliste ayant perdu son emploi.

Il me demanda si je pouvais embaucher sa femme. Elle n'avait absolument aucun diplôme mais tenait très bien les comptes du ménage.

Je l'engageais comme aide-comptable.

Elle fit de rapides progrès, mais mon entreprise ayant dû déménager deux ans après, mon aide-comptable chercha du travail ailleurs.

Au bout de trois ans, elle devint la chef-comptable appréciée de sa nouvelle entreprise.

Ce type de carrière est très fréquent dans les petites et moyennes entreprises, dernier lieu où se pratique la promotion par l'efficacité.

A. G. : Ces idées sont intéressantes. J'aimerais que vous développiez votre réflexion sur les rapports entre connaissance et efficacité.

M. L. : Napoléon Bonaparte, attiré par la carrière militaire, suivit les cours d'une école d'officiers dont il obtint un diplôme après des études très passables.

Puis il exerça sur le terrain. De cette confrontation de

la formation d'école et de son application il tira des enseignements.

S'adressant à ses troupes, il leur dit, avec une formule courte, concrète, sans ambiguïté : « Tout soldat a un bâton de maréchal dans sa giberne. »

Était-ce une de ces formules chères aux politiciens, pour s'attirer la sympathie des petites gens, des sans-grades, des lampistes ?

Absolument pas.

Les deux meilleurs maréchaux de Napoléon, Massena et Lannes avaient commencé très jeunes, comme simples soldats.

Ces « seigneurs de la guerre » s'imposèrent par leur efficacité.

Napoléon n'avait pas hésité ! Entre l'école théorique et le terrain, ce dernier, seul, comptait, pour désigner les meilleurs.

Malheureusement, par la suite, l'idéologie culturelle reprit ses droits.

Ainsi, au fronton de l'École d'officiers de Saint-Cyr on pouvait lire avant la guerre : « Ils s'instruisent pour vaincre. »

Le général Gamelin en était sorti major de sa promotion, et par la suite, il accumula les plus prestigieux diplômes.

En 1940, il était généralissime de toutes les armées alliées. Son action fut décevante. Au même moment le président de la République s'appelait Albert Lebrun. C'était un ancien major de l'École Polytechnique.

La France était vraiment mieux pourvue en diplômes que ceux d'en face.

A. G. : Vous n'allez pas me dire que le savoir théorique n'aide pas à être efficace.

M. L. : Le comportement animal dispose d'un programme acquis pour s'adapter aux circonstances. Ce second programme forme les habitudes (cette seconde nature), les réflexes conditionnés.

Dans une école militaire, on apprend au futur officier, au futur général, la réponse à quelques milliers de situations stratégiques possibles.

Si l'on met les données de telle situation stratégique dans « l'ordinateur » du bon général, celui-ci donne immédiatement la parade.

Seulement voilà, il peut se produire deux cas où cela ne marche pas.

D'abord une nouvelle situation non prévue à l'école. Si le général n'a pas un sens inné de l'art militaire, il est perdu.

Autre possibilité : l'ennemi, très malin, fait coïncider son offensive avec une situation stratégique classique connue de l'adversaire.

Il connaît alors les réactions de ce dernier.

C'est un piège, car en réalité, il ne veut absolument pas développer son offensive comme il le fait croire.

Dès que l'adversaire a modifié ses positions de la manière prévue, il les démolit.

On ne sait jamais si un général qui réussit brillamment dans les grandes manœuvres de paix ne va pas se faire rouler dans la farine en temps de guerre par quelque adversaire « teigneux » qui a appris toutes les ruses sur le terrain.

Les connaissances d'école ne donnent que des réflexes

conditionnés, impersonnels, qui fonctionnent seulement dans les situations prévues.

Si vous appelez au téléphone un fonctionnaire pour lui demander un conseil, il vous citera les textes. Si vous lui demandez son nom pour le rappeler éventuellement, il vous dira que lui ou un autre, ça ne change strictement rien. Il est là pour dire la réglementation et son collègue fera de même.

Dans ce cas les connaissances d'école sont indispensables. Le fonctionnaire est réduit au rôle de robot, et il se veut robot afin de n'avoir aucune espèce de responsabilité.

Il ne peut prendre ni bonne ni mauvaise décision ; il applique strictement la réglementation.

Dans un cas non prévu par la réglementation, il ne décide rien du tout. Le pauvre citoyen se trouve ballotté de service en service, ne trouvant en face de lui que des employés ou des « responsables » désolés de ne pouvoir l'aider. Son cas correspond à un vide règlementaire.

Parfois les faits nouveaux, non prévus dans la réglementation, peuvent avoir des développements catastrophiques. Ne rien décider parce que les textes n'ont rien prévu, c'est, en vérité, dégager sa responsabilité — mais c'est aussi laisser se développer des situations gravement préjudiciables aux administrés, aux citoyens.

Ainsi s'est développée l'affaire du sang contaminé par le virus du Sida.

« J'étais au courant, mais en l'absence d'une réglementation, je ne pouvais rien faire. »

Ainsi existe-t-il tout un comportement appris : on décide selon les règlements, on exécute « ce qui se fait ».

Cependant, si vous vous trouvez à la tête d'une petite entreprise, dans un marché en pleine évolution, avec des moyens de production en continuel changement, et l'obligation de créer de nouveaux modèles, vous devez obligatoirement prendre des décisions.

Suivant ces décisions, votre entreprise se développera ou ira à la faillite.

A l'école, on ne vous apprendra pas à décider vite et bien, et à prendre seul l'entière responsabilité de vos décisions.

Il est tristement comique de voir I.B.M., ou d'autres sociétés informatiques, proposer des programmes de gestion soi-disant performants. Hélas, ces entreprises ont si mal géré leur acquis, qu'elles subissent chaque jour d'énormes pertes.

Paraphrasant une pensée de Confucius, je dirais que les diplômes — les connaissances d'école — sont comme la lanterne en queue de train : elle éclaire la route parcourue, permet de l'analyser et de la comprendre, mais elle n'éclaire pas le chemin devant la locomotive.

Là, c'est le noir absolu. Si un arbre obstrue la voie, quelle catastrophe !

A. G. : Il existe donc des hommes dont le regard perce l'obscurité, comme celui des chats ?

M. L. : Certainement. Les « voyants » ne peuvent se sélectionner que sur le tas. Quant aux connaissances qui leur manquent, ils peuvent les acquérir, le moment venu, par la formation continue.

HÉRÉDITÉ ET HÉRITAGE CULTUREL

A. G. : Vous avez tenté de me démontrer que chez l'homme comme chez tout être vivant, l'inné c'est tout et l'acquis ce n'est rien, ou plutôt ses possibilités d'acquisitions sont déjà programmées à la naissance. Il a la « bosse » des mathématiques ou il ne l'a pas. S'il est doué pour la musique, il apprendra avec plaisir et facilement le piano, mais si vraiment il n'est pas programmé pour cela, inutile d'insister.

Vous prétendez que toutes nos sociétés humaines sont organisées sur l'idée contraire. Vous appelez l'ensemble des idées et des réalisations issues de ce principe l'idéologie culturelle.

Par contre vous appelez Ordre Naturel l'ensemble des idées et réalisations, partant du principe que l'inné est l'essentiel.

M. L. : L'idéologie culturelle est l'œuvre d'une certaine classe d'intellectuels très doués pour l'abstrait. Ils prétendent que toutes les connaissances humaines peuvent se transmettre par le langage, les mots, les signes, les symboles, les chiffres, et veulent ignorer la transmission du savoir-faire par l'exemple.

Dans la hiérarchie des valeurs, la culture est le bien suprême et certains font profession de l'enseigner aux foules.

Pour ces intellectuels, l'idéologie culturelle leur est très favorable. C'est en quelque sorte leur fonds de commerce, il est légitime qu'ils la défendent par tous les moyens.

Je crois de bonne foi qu'ils ont tort, et je leur demande d'en discuter avec la plus grande honnêteté.

Le développement des divergences entre l'ordre naturel et l'idéologie culturelle constitue un autre problème.

Pour simplifier, la question est la suivante : un Suédois est-il différent d'un Napolitain par suite d'une différence d'hérédité raciale ou d'héritage culturel ?

Le problème est de savoir si un bébé napolitain élevé dans une famille suédoise en Suède deviendra un authentique Suédois, et si un bébé suédois élevé à Naples dans une famille napolitaine deviendra un authentique Napolitain.

L'inné, la nature profonde sera-t-elle modifiée ou sera-ce seulement la seconde nature, celle des habitudes acquises poussant un individu à se conformer aux habitudes du groupe dans lequel il vit ?

L'étude de ces questions est très difficile de nos jours, tant le débat est chargé de passion, de haine, de fanatisme. Il faut pourtant les étudier avec recul, car c'est peut-être le problème le plus important de notre époque.

Je vais employer trois mots dans ce débat : culture - race - ethnie. Il faut donc d'abord les définir.

Pour le mot *culture*, tout le monde est d'accord pour dire que c'est « l'ensemble des connaissances acquises... ». J'ajouterai « connaissances abstraites ».

Pour *race* et *ethnie*, c'est plus délicat. Je dispose de trois dictionnaires : Le *Larousse Universel 1922,* Le *Petit Larousse* 1965 et le *Petit Robert* 1984.

Bien que l'objet des définitions n'ait pas varié, leur évolution est symptomatique.

Race : Le *Larousse Universel* cite *L'Encyclopédie.*

« Les races sont naturelles quand elles apparaissent spontanément, quand des variétés se fixent par l'hérédité des caractères ; elles sont artificielles quand l'homme les fait naître et les maintient, comme on l'observe chez nombre d'animaux domestiques. Il est à remarquer que beaucoup de races artificielles livrées à elles-mêmes retournent aux types naturels dont elles dérivent. Il en est de même du produit du croisement des races voisines ou métis. »

Ainsi en 1922 *L'Encyclopédie*, qui reflète l'opinion de la grande majorité des intellectuels, ne parle pas de race pure mais de race naturelle. Elle va même plus loin :

Le produit des croisements ou métissage, appelé race artificielle, finit par disparaître en retournant au type naturel, probablement par la sélection naturelle.

Passons au *Petit Larousse* 1965.

Race : « Groupe d'individus dont les caractères biologiques sont constants et se conservent par la génération. »

C'est une bonne définition, mais prudente et un peu restrictive. La couleur de la peau est un caractère biologique. Être discipliné, ordonné, courageux, n'en fait pas partie.

Pendant des millénaires, le mot race était employé constamment dans toutes les classes de la société. La race ne définissait pas seulement les caractères biologiques, mais également les types de comportements.

Un proverbe universellement reconnu pour vrai, disait : « Bon chien chasse de race ».

L'idéologie culturelle ne reconnaît pas la validité de ce

proverbe donnant le pas à l'inné sur l'acquis et montrant que le comportement est lié à la race.

Petit Robert 1984 :

Race : « Groupe ethnique qui se différencie des autres par un ensemble de caractères physiques et héréditaires (couleur de peau, forme de la tête, proportion des groupes sanguins). »

Cette fois, c'est très clair, l'appartenance à une race n'a plus aucun rapport avec le comportement, qui appartient entièrement à la culture.

Autrefois, on considérait que les caractères héréditaires se trouvaient dans le sang. On disait : « Il a ça dans le sang. »

Comme de nos jours, les hommes rejetaient la cause des malheurs qui les accablaient sur les méchants.

Les bons avaient un « bon sang », et le proverbe disait : « Bon sang ne saurait mentir. »

Le bon avait le sang pur et le méchant le sang impur, signe d'une mauvaise hérédité.

C'est donc avec enthousiasme que les révolutionnaires français de 1789 adoptèrent les paroles de *La Marseillaise* pour bouter dehors l'ennemi.

« Marchons, marchons, qu'un sang *impur* abreuve nos sillons. »

A. G. : Et le mot *ethnie*, a-t-il varié de sens au cours des siècles ?

M. L. : A mon grand étonnement, et après avoir bien cherché, je n'en ai trouvé nulle trace dans mon *Larousse Universel* de 1922.

C'est donc un mot très récent qui tente de se substituer au mot race jugé quelque peu satanique.

Par contre je trouve le mot « ethnique » avec la définition : « relatif à la race ».

Je trouve aussi « ethnologie » : « science qui traite de la formation et des caractères physiques des races humaines ».

Donc, en 1922, si *ethnie* n'existe pas, l'étude des ethnies ou ethnologie a un sens, qui sans aucune ambiguïté, indique que race et ethnie sont synonymes.

Passons au *Petit Larousse* de 1965.

Tout change. La guerre est passée par là. Le mot ethnie a été créé, il n'est plus synonyme de race.

Ethnie : « Groupement organique d'individus de même culture ».

Nous y voilà, héritage culturel a remplacé hérédité raciale, biologique.

Si les individus habitant un même pays ont des mœurs semblables, ce n'est plus à cause de leur patrimoine génétique, mais uniquement à cause de leur culture — c'est-à-dire des connaissances acquises.

Cela montre combien le sens des mots varie avec les circonstances, et combien un même texte, à cinquante ans d'intervalle, peut changer complètement de sens.

Le langage est un mauvais moyen de communication, flou, approximatif, ambigu.

Le mot *ethnologie* a ainsi complètement changé de sens en quarante-trois ans !

Enfin le *Petit Robert* de 1984 est encore plus net pour marquer la différence fondamentale entre *ethnie* et *race.*

Ethnie : « Ensemble d'individus que rapproche un certain nombre de caractères de civilisation, notamment la communauté de langue et de culture (alors que la race dépend de caractères anatomiques). »

L'ethnie, c'est la culture, la race ce n'est que l'anatomie.

A. G. : Si j'ai bien compris, l'inné, le patrimoine génétique, se perpétue par la transmission de la vie. Il ne s'est pas rajouté à l'individu : c'est la vie elle-même, l'individu n'étant que le support, une forme momentanée et périssable de ce patrimoine génétique qui, lui, est éternel.

Dieu est le créateur de cette vie éternelle.

Par contre, d'où vient la culture ? Pourquoi chaque pays, parfois chaque région, ont-ils leur culture ?

Pourquoi, par exemple des pays très voisins comme l'Allemagne et l'Italie, aimant également la musique, ont-ils des compositeurs aussi différents que Rossini et Wagner ?

Est-ce simplement parce que Rossini a été nourri par la culture musicale italienne, a fréquenté des écoles de musique de son pays, alors que Wagner a été nourri par la culture musicale, la poésie allemandes, et a appris la musique avec des professeurs allemands ?

M. L. : C'est le nœud du problème. L'homme est-il le produit de la culture ou la culture le produit de l'homme ?

Aujourd'hui de grands savants, bardés de diplômes, d'honneurs, de connaissances et arbitres de l'éthique, nous disent : les races humaines, ça n'existe pas. La preuve, tous les hommes (ou les femmes) sont uniques (sauf les vrais jumeaux). Il ne peut donc y avoir de races formées d'êtres semblables.

Je répondrai à ceci par le bon sens.

J'ai chez moi un chat de gouttière et un chien bâtard.

J'ai eu beaucoup de chats, tous uniques, c'est vrai, par quelques détails de pelage ou de comportements.

Cependant tous ces chats ont tant de points communs, que jamais je n'ai confondu l'un d'eux avec mon chien bâtard ou avec n'importe quel chien !

J'appelle chat une race d'animaux dont les patrimoines génétiques ont beaucoup plus de points communs que de différences. Je ne peux les confondre ni avec des chiens, ni avec des fouines, putois, martres, etc.

Tout le monde sait, sauf les savants, que l'aspect physique d'un homme ou d'une femme — notamment son visage — est le reflet de son caractère et de son comportement. Dire qu'une race ne définit que les caractères anatomiques, c'est idiot !

Les vrais jumeaux ont des caractères, des comportements identiques, et se comprenant parfaitement. Ils sont anatomiquement identiques.

Les faux jumeaux ont subi, à travers leur mère et pendant leur petite enfance, les mêmes influences. Ils sont cependant différents anatomiquement et de caractère.

C'est la preuve que l'inné détermine l'anatomie, le comportement, le caractère, les dons — et non l'environnement culturel ou l'acquis.

Revenons à votre question : Quelle est l'origine de la culture ?

Un professeur apprend à ses élèves l'architecture bretonne. Les élèves pourront ensuite, quand ils auront bien assimilé les leçons, bâtir des maisons de style breton, même s'ils viennent de n'importe où dans le monde.

Ces habitations seront des œuvres culturelles, et non le produit d'une inspiration artistique.

De même, un très bon menuisier peut fabriquer une commode Louis XVI en copiant une réalisation existante.

Cependant, à l'origine, il a bien fallu qu'il y ait création, invention.

Or l'invention, technique ou artistique, n'est pas le résultat de ce que l'on a appris. C'est le fruit d'une inspiration venue du fond de soi.

Peu de gens possèdent ce don de création vrai.

Il vient exclusivement de l'inné.

Seule la forme subit l'influence de ce que l'on a appris.

La culture est donc le produit de l'homme. Des races humaines différentes produisent des cultures différentes. Dans la mesure où la race conserve ses caractéristiques héréditaires, elle se trouve parfaitement bien adaptée à la culture créée par les générations successives de ses ancêtres.

Les animaux aussi ont leur création. Les oiseaux fabriquent des nids, qui sont de merveilleuses œuvres d'art. Il n'existe pas d'école pour apprendre à les fabriquer. Lorsque l'oisillon quitte le nid, qu'il n'a pas vu construire, il sait à peine comment il est. Il n'y retourne jamais et, au printemps suivant, il est prêt à construire le sien, pour la première fois — qui sera parfait du premier coup.

Tout cela est dans son inné, et l'on peut supposer que ce nid s'est perfectionné au cours de dizaines de milliers d'années.

Mais chaque espèce d'oiseau a son type de nid absolument caractéristique. C'est fantastique le nombre de choses que savent faire les animaux, d'instinct, sans recevoir aucune leçon.

Et nous, les hommes, on veut nous faire croire que nous ne saurions rien faire si on ne nous l'apprenait pas !

A. G. : Votre conclusion sur l'hérédité raciale et l'héritage culturel.

M. L. : La culture, c'est l'accumulation de tout ce que les hommes ont inventé, créé. Les inventions, les créations sont le produit des patrimoines génétiques. Les peuples ayant un patrimoine génétique présentant beaucoup plus d'analogies que de différences ont des créations, des inventions du même type, donc une culture homogène.

PARABOLE DES DEUX PRODUCTEURS DE LAIT

A. G. : Votre argumentation pour le « tout inné » contre le « tout acquis » m'a impressionné.

Cependant est-ce une simple querelle philosophique comme celle sur le sexe des anges, ou bien un fait nouveau qui doit modifier l'organisation de la société ?

M. L. : Permettez-moi de vous conter la « parabole des deux producteurs de lait ».

Deux amis ayant fait fortune, passionnés par l'agriculture, décidèrent, chacun de leur côté, d'investir dans une ferme pour élever des vaches laitières.

Le premier, esprit scientifique et organisé, s'adressa aux meilleurs experts du monde entier, généralement vétérinaires, pour bâtir une étable modèle avec température, ventilation, luminosité contrôlées.

Il fit étudier également la meilleure nourriture possible, la meilleure ambiance pour obtenir la meilleure lactation.

Il embaucha un excellent professionnel pour contrôler en permanence son élevage, et acheta dans le voisinage les génisses du marché.

Le second eut une démarche différente. Il acheta une ferme existante avec une étable classique et de bons pâturages.

Par contre, il porta la plus grande attention à l'ascendance des génisses qu'il achetait.

Il voulait que les parents, grands-parents et arrière

grands-parents aient tous donné des productions annuelles de lait dépassant les 10 000 litres.

Dans sa ferme, il laissa les bêtes manger à leur faim soit en broutant ses belles prairies, soit en leur donnant du bon foin.

Lequel des deux eut le meilleur résultat ?

Naturellement, d'une manière écrasante le second, qui pensait que la production laitière d'une vache dépendait avant tout de son patrimoine génétique, de son inné. Non le premier, qui croyait à l'élevage scientifique pour apporter à la vache le meilleur, pour la nourriture et l'environnement, afin qu'elle soit la première pour les résultats.

En outre, je vous ferai remarquer que les vaches du second sont bien plus heureuses que les premières. On les laisse en paix, manger à leur guise, sans surveillance ni contrôle permanents.

Par contre, dans cette seconde ferme, existe une sélection sévère à l'entrée qui n'existe pas dans la première.

HIÉRARCHIE DES ÊTRES VIVANTS

A. G. : Votre parabole des éleveurs de vaches laitières, rapportée aux hommes, sent terriblement le racisme. Est-ce cette doctrine que vous voulez promouvoir ?

M. L. : Ma parabole avait pour seul but de montrer l'importance de l'inné par rapport à l'acquis. Se servir de cette vérité dans l'élevage en utilisant la sélection, ne veut absolument pas dire que, pour la société humaine, il faille en tirer les mêmes conclusions. Nous ne sommes pas des animaux domestiques, mais des êtres libres.

La vérité est « incontournable » et si l'on s'en sert d'une manière condamnable, elle n'en est pas fausse pour autant.

La dynamite peut servir à tuer, mais aussi à construire des barrages qui rendront fertiles des terres incultes.

Au nom des saintes Écritures et de l'Évangile, naquirent en France l'Inquisition et la Saint-Barthélémy.

L'Évangile contenait-il en germe cette violence extrême, et faut-il le condamner ?

D'après mon *Petit Robert*, le racisme est : « Théorie de la hiérarchie des races, qui conclut à la nécessité de préserver la race dite supérieure de tout croisement et à son droit de dominer les autres. » Je crois nécessaire de donner mon sentiment sur ces problèmes de hiérarchie des êtres vivants.

Dans l'Ordre Naturel, il n'existe pas de hiérarchie.

Aucun animal ou végétal n'a été programmé pour dominer les autres, mais simplement pour vivre afin de conserver en lui cette vie éternelle qu'il doit impérativement transmettre.

Certes, certains animaux (la majorité), sont des prédateurs se nourrissant d'autres animaux. Mais cela ne veut pas dire qu'ils se considèrent comme supérieurs aux animaux qu'ils pourchassent.

Les hommes aussi sacrifient des millions d'animaux chaque jour pour se nourrir et, croyez-moi, la mort n'est jamais joyeuse.

La façon dont nous les tuons est soigneusement cachée, pour notre confort intellectuel.

Le meurtre d'un cerf fait beaucoup plus de bruit que celui d'un million de poulets. C'est que le meurtre du cerf ne nous apporte aucun plaisir, alors que la dégustation du poulet rôti...

Les hommes créent une espèce de hiérarchie parmi les animaux, suivant les plaisirs ou les désagréments qu'ils apportent.

Nous aimons les oiseaux, surtout ceux qui chantent.

Le rossignol est le meilleur des chanteurs. Viennent ensuite la grive musicienne, le merle, la fauvette, etc.

De même, nous avons classifié des nuisibles, appelés encore bêtes puantes. Elles osent manger notre gibier, notre volaille, ou nos œufs...

Nous massacrons la si jolie couleuvre à collier, utile et innocente, car elle nous effraie en s'enfuyant.

Ces hiérarchies sans fondement, sont purement subjectives.

Existe-t-il une hiérarchie parmi les races humaines ?

Pour maintenir et épanouir la civilisation cambodgienne, rien de mieux que les Cambodgiens.

Pour maintenir et épanouir la civilisation bantoue, rien de mieux que les Bantous.

Existe-t-il une civilisation supérieure à une autre ? Chacun trouve sa civilisation supérieure à celle des autres, c'est légitime mais nullement objectif.

Il n'existe aucune hiérarchie parmi les civilisations.

De ce fait il n'existe aucune race humaine supérieure à une autre.

On peut, selon les critères, dire que les Noirs sont supérieurs aux Blancs en course à pied et en basket-ball.

Que les Allemands sont meilleurs industriels que les Grecs, etc.

Par contre, on peut affirmer contre l'idéologie culturelle, que les Allemands seraient nuls pour maintenir et faire s'épanouir la civilisation bantoue, et que les Bantous seraient inaptes à maintenir et à faire s'épanouir la civilisation allemande.

CAUSES ET CONSÉQUENCES
DES MOUVEMENTS GÉNÉTIQUES

A. G. : Par l'éducation et l'environnement, les tenants de l'idéologie culturelle prétendent former les hommes.

Une même éducation, un même environnement culturel, garantiraient une très bonne entente entre les citoyens.

Mais est-ce votre point de vue ?

M. L. : Non, seule l'identité des patrimoines génétiques assure l'entente, comme chez les vrais jumeaux.

Certes, sur le simple plan de l'échange d'idées, le même acquis chez deux êtres permet une complicité. Mais vivre, ce n'est pas échanger des idées, c'est prendre des décisions concrètes.

Si beaucoup de ces décisions peuvent être influencées par la mode ou par les habitudes, la majorité d'entre elles dépend de notre programme génétique.

Vous êtes génétiquement attiré par la pêche, ou la danse, ou le sport, ou les réunions mondaines, et votre comportement dépend de ces goûts.

Regardez les oiseaux, la construction de leur nid est inscrite dans leur programme génétique. Entre un pinson mâle et un pinson femelle l'entente sur ce sujet est fabuleuse. Ils travaillent ensemble en parfaite intelligence.

Si par extraordinaire un mâle pinson épousait une

femelle bouvreuil, la mésentente serait totale. Les nids sont différents et chacun voudrait voir réaliser son projet.

Ainsi en va-t-il des êtres humains.

Plus les peuples sont formés de races disparates, plus les patrimoines génétiques des individus varient, plus les différences de comportements et les mésententes se manifestent.

On note alors de très grandes différences de style de vie entre les classes sociales, lesquelles sont formées d'individus ayant des patrimoines génétiques voisins.

Prenons en exemple le Brésil et la Suisse :

Au Brésil s'est produit un brassage d'Européens et d'Indiens.

De riches propriétaires vivent sur un pied grandiose avec gardes du corps, voitures, avions, nombreuses propriétés, à côté d'effroyables bidonvilles où la vie est misérable.

En Suisse, bien que l'économie capitaliste ait créé des disparités de fortune considérables, cela se traduit surtout dans l'importance des patrimoines financiers.

Dans le comportement, les distractions, le style de vie il n'y a pas une très grande différence entre les classes sociales.

Il n'existe pas de quartiers misérables, ni de riches, arrogants, gaspillant leurs revenus en de somptueuses fêtes.

Car en Suisse, il existe une certaine homogénéité dans les patrimoines génétiques.

A l'intérieur d'une population peuvent survenir des évolutions très importantes.

Pour en comprendre la cause, reprenons notre exemple des vaches laitières.

Supposons que vous ayez un troupeau de 100 vaches dont le rendement moyen est 7 500 litres de lait par an.

Individuellement, le rendement va de 10 000 à 5 000 litres par an avec une égale proportion.

A la suite de différents facteurs, vous ne pouvez plus assurer la reproduction interne de votre cheptel. En 10 ans, vous achetez une trentaine de vaches à l'extérieur.

Manquant d'argent, vous négociez des vaches médiocres, toutes à 5 000 litres par an.

Le rendement moyen de votre troupeau va sensiblement diminuer.

C'est donc une première cause de l'évolution **dans un sens comme dans l'autre** : l'apport d'éléments extérieurs.

Autres facteurs d'évolution : le renouvellement interne inégal. La transmission des patrimoines génétiques ne se fait plus dans le même pourcentage que celui du troupeau d'origine.

Là encore, dans un sens ou dans l'autre, l'évolution de la qualité moyenne des vaches laitières va varier.

Dans la mesure où l'on croit plus aux qualités innées qu'aux qualités acquises, il est légitime de prendre en compte l'étude de ces évolutions génétiques.

En Provence, s'était constituée une population métissée dans ses origines lointaines, mais qui avait trouvé sa stabilité, ses mœurs, ses coutumes, ses productions artistiques, ses croyances.

Puis, brusquement, des apports considérables d'Italiens de Corses, puis de Pieds Noirs, de Nord-Africains, de multiples minorités de tous pays, affluèrent.

Le Provençal d'aujourd'hui n'a que peu de points communs avec celui des contes d'Alphonse Daudet ou des poèmes de Mistral.

L'important, pensent certains, c'est que l'on conserve pieusement le patrimoine culturel provençal dans des musées ou au sein d'associations. Comme les langues mortes qui survivent grâce à l'amour qu'elles inspirent à quelques hommes d'élite.

Mais elles ont quand même disparu avec le patrimoine génétique de ceux qui les avaient codifiées.

Ainsi, dans chaque pays, une formidable évolution souterraine modifie la qualité moyenne des individus.

Aux U.S.A., l'importante immigration des Latinos qui — avec les Noirs — se montrent beaucoup plus prolifiques que les Européens, va modifier les structures de la nation.

Si dans une entreprise industrielle, un patron, pour remplacer les retraités, n'embauche plus que des manœuvres uniquement doués pour les travaux manuels simples, son entreprise va bientôt être désorganisée.

S'il embauche moins de cadres qu'il n'en part, et plus de manœuvres, le fonctionnement de son entreprise va s'en trouver modifié. Il devra l'adapter à cette nouvelle situation et la rendre moins « performante » que celle de ses concurrents ayant conservé la même proportion de salariés dans toutes les qualifications.

Aux U.S.A., si les immigrés asiatiques, bien que faisant de l'apartheid, s'adaptent aux techniques de gestion, de production créées par les Blancs, certaines ethnies, comme les Noirs et les Latinos, y sont rebelles.

L'organisation des Blancs leur est étrangère. Ils deviennent des marginaux, des hors-la-loi, et cela semble, à première vue insoluble.

Une civilisation meurt le jour où ses créateurs ne se perpétuent plus en nombre suffisant, et perdent le pouvoir au profit de nouvelles populations venues non pour l'amour de cette civilisation, mais attirées par l'abondance des biens, produits de sa technologie.

Au cours de l'histoire, chaque fois qu'un peuple a été vainqueur et s'est installé en maître dans un pays, il a imposé sa civilisation.

Les Espagnols arrivant en Amérique du Sud ont laissé disparaître la civilisation des Incas.

Les Européens colonisant l'Afrique n'ont pas adopté sa civilisation, mais ont imposé la leur.

Or, la même invasion réalisée, non grâce à la victoire des armes, mais par une immigration acceptée, parvient au même résultat.

Lorsque les descendants des immigrés ont la majorité, ils prennent le pouvoir. Ce nouveau pouvoir se désintéresse des réalisations artistiques ou techniques de l'ancienne ethnie, qui ne représentent rien pour lui.

Plus un pays, ou une région est génétiquement homogène, plus ce pays ou cette région reste stable.

Les peuples très fermés à l'immigration et qui vivent dans l'amour de leur civilisation sont des peuples stables.

Les pays qui forment un patchwork de races sont d'une très grande fragilité.

A. G. : A l'intérieur d'un pays, des classes d'individus se sont autosélectionnées en fonction de leurs aptitudes, leur goût pour certains métiers.

Il peut exister une classe de paysans, d'ouvriers, de commerçants, de militaires. C'est un peu le système des castes en Inde.

D'après vous, l'aptitude à faire un métier est génétique.

Le développement des classes d'individus est-elle harmonieuse et équilibrée, ou peut-il y en avoir qui se développent et d'autres qui régressent ?

M. L. : Autrefois on faisait très attention à ces questions. Richelieu interdit le duel, car il s'aperçut que cette pratique décimait l'aristocratie d'épée dont la France avait le plus grand besoin pour la défendre.

Lorsqu'on décida de coloniser le Canada, la sélection fut uniquement génétique. On choisit des couples vigoureux ayant toutes chances d'avoir beaucoup d'enfants.

A cette époque la solidarité à l'intérieur de la nation n'existait pas. Mais à l'intérieur des familles elle était très forte, alors qu'aujourd'hui elle est presque inexistante.

Chaque femme mariée mettait au monde un nombre considérable d'enfants, comme dans la nature. Ne dit-on pas que le fameux et génial cuisinier-traiteur de Napoléon, Carème était le vingt-troisième enfant d'une famille pauvre ?

Il fut mis à la porte très jeune : vingt-deux, c'était acceptable, mais vingt-trois, non !

Les familles vigoureuses, travailleuses, intelligentes parvenaient à nourrir et conserver une majorité de leur progéniture.

Chez les familles moins actives, moins combatives, les enfants mouraient presque tous.

Ainsi se développent les patrimoines génétiques des individus les mieux adaptés à l'activité permettant de gagner sa vie.

La disette et les épidémies étaient des facteurs de sélection.

Les guerres en principe ne tuaient, en très petit nombre, que des soldats volontaires, surplus de familles nombreuses.

Aussi cruels que nous paraissent ces moyens de sélection, ils étaient dans l'Ordre Naturel pour conserver intacts et perpétuer les patrimoines génétiques.

Tout commença à changer avec la Révolution de 1789 et la conscription.

Les guerres dévorèrent des hommes suffisamment vigoureux pour faire à pied des milliers de kilomètres par tous les temps.

Ce fut le début de la sélection à rebours : on envoie à la mort les plus courageux, les plus vigoureux, pour laisser à l'arrière, les plus fragiles, moralement et physiquement.

Lorsque le prince de Bismark, aristocrate Prussien, créa la première Sécurité Sociale en Europe, le principe de la solidarité nationale vit le jour.

Je ne peux pas vous dire si c'était bien ou mal. Je n'examine que les conséquences sur le maintien intact et la transmission des patrimoines génétiques de la nation. J'examine également si telle ou telle classe d'individus peut être favorisée ou défavorisée.

Dans ce système l'individu en pleine santé soutient le malade, dont le patrimoine génétique a été endommagé par une maladie héréditaire.

Ce type d'individu, qui un siècle ou deux auparavant, était éliminé dans la lutte impitoyable pour la vie, va survivre et pouvoir procréer en transmettant ce patrimoine endommagé.

Des allocations familiales, de plus en plus importantes à mesure qu'il aura plus d'enfants, vont lui permettre de multiplier ses descendants porteurs de cette maladie héréditaire.

Par contre, les enfants gêneront le couple actif et en pleine santé dont les deux membres travaillent. Les allocations familiales ne seront qu'une trop faible compensation aux pertes provoquées par la diminution d'activité professionnelle.

Il faut noter, en sens contraire, que le mariage d'amour obéit à un comportement naturel. Il a tendance à éliminer les êtres trop handicapés pour cause génétique.

A. G. : Les conséquences dans l'avenir seront-elles importantes ?

M. L. : Elles peuvent augmenter d'une manière continue le nombre d'assistés.

Les admirables médecins européens qui éradiquèrent des maladies en Afrique — lesquelles maintenaient la population à un niveau constant — avaient-ils réfléchi à la catastrophe démographique qui s'ensuivrait ?

Ils ont, au départ, diminué la souffrance pour la multiplier aujourd'hui par mille !

Il y a en France un million de porteurs de maladies héréditaires. C'est grand pitié de les voir, et de tout notre cœur nous voulons leur apporter notre soutien.

Avoir des enfants, n'est-ce pas pour eux un grand bonheur dont nous ne pouvons les priver ?

A. G. : Vous semblez constater deux conséquences principales de l'évolution génétique.

D'abord la grande Loi de l'Ordre Naturel : conserver intact ce patrimoine, cette vie éternelle que nous avons reçue et que nous devons transmettre dans son intégrité.

Ensuite, dans une société, l'évolution des idées, de

toutes les productions humaines, techniques comme artistiques, suit l'évolution génétique.

Puisque l'inné commande tout et non l'acquis, les mouvements de populations à l'« inné » commun (on dirait en langage courant une mentalité commune) déterminent l'évolution des idées et de la civilisation.

M. L. : C'est exact. Supposons que la population française soit divisée en individus d'origine plus ou moins germanique et d'individus d'origine plus ou moins latine. Si ceux qui ont une mentalité germanique faisaient trois fois plus d'enfants que ceux à la mentalité latine, on verrait peu à peu les mœurs changer. Les idées prônant l'ordre, la discipline, le respect de la nature prendraient le pas sur les idées de liberté extrême, de fantaisie, de refus d'appliquer les règlements.

Les intellectuels diraient : les idées mènent bien le monde, puisque de plus en plus, celles qui font l'éloge de l'ordre et de la discipline sont adoptées par les Français.

En fait, c'est le mouvement invisible de l'augmentation du nombre des individus porteurs de certains gènes, et la diminution du nombre de porteurs de gènes différents qui en seraient les vraies causes.

En regardant le Parthénon, un Grec peut dire fièrement : « Ce sont mes ancêtres qui ont bâti cette merveille. »

Est-ce si sûr ?

A la suite des nombreux mouvements de population, il est probable que toutes les familles grecques de la grande époque se sont éteintes, et avec elles leurs qualités exceptionnelles.

Rapports entre les ethnies

A. G. : Comment voyez-vous les rapports entre les ethnies, dans la mesure où race et ethnie sont étroitement mêlées, où l'ethnie est la conséquence de la race ?

L'idéologie culturelle et l'Ordre Naturel ne peuvent pas voir ces rapports de la même manière.

M. L. : Je distingue cinq doctrines pour définir les rapports entre les ethnies.

Première doctrine : le racisme

Le racisme est une idéologie fondée sur la croyance qu'il existe une hiérarchie entre les groupes humains, les races. Il faut donc, pour établir cette échelle de valeurs, adopter des critères de classement. Comment procéder entre des ethnies aux valeurs différentes ? L'esprit guerrier, la notion de sacrifice, seront considérés comme des qualités primordiales chez un peuple, mais ces notions peuvent être méprisées par le voisin.

Chaque ethnie possède ses propres critères, lui inspirant le sentiment d'être la meilleure, la plus civilisée.

A la fin du siècle dernier, Gobineau tenta de justifier cette idéologie ; l'Occident s'y intéressa, sans aucune levée de boucliers. Il l'utilisa même pour justifier son expansionnisme.

La théorie de la race supérieure est une absurdité. C'est aussi idiot que de déclarer « le loup prédateur est supérieur à l'agneau pacifique », ou vice versa.

Nous devons respecter les valeurs, les croyances, la civilisation de chaque ethnie. A l'étranger, beaucoup de Français se gaussent des us et coutumes des gens du pays. Cela prouve uniquement leur bêtise.

Deuxième doctrine : l'apartheid ou la vie séparée

L'apartheid n'est pas la séparation complète de deux ethnies imposée par celle détenant le pouvoir ; c'est la séparation du lieu de vie, en laissant une certaine liberté pour le travail.

L'histoire de l'humanité fournit de multiples exemples d'apartheid. Souvenez-vous des ghettos, où les populations majoritaires entassaient les Juifs : Venise, en Italie, en France à l'époque de saint Louis, et surtout dans les pays slaves. Il semble, d'ailleurs, qu'il n'y ait pas eu de ghettos en Allemagne.

Les Juifs y vivaient, y travaillaient, et avaient de nombreux échanges commerciaux avec le reste de la population.

L'apartheid diffère suivant les ethnies en présence ; parfois, il s'agit même d'une séparation par consentement mutuel.

Les Chinois, partout où ils s'installent, ont tendance à créer leurs villes ou leurs quartiers. Dans ces « chinatown », la civilisation chinoise y est préservée. Les membres de ces communautés n'adoptent pas les valeurs des autres ethnies, et ne font pas de prosélytisme.

D'autre part, les Chinois sont suffisamment intelligents pour assimiler les technologies et les usages commerciaux de n'importe quel peuple.

L'entente entre les Noirs et les Blancs semble plus problématique.

Aux U.S.A., les quartiers noirs sont nés surtout pour

des raisons économiques. Ceux-ci s'adaptent mal à la technologie blanche, et triment dans des emplois sous-payés. Aussi, vivent-ils dans les zones les plus pauvres.

Lorsque les Noirs plus aisés s'installent dans les quartiers blancs, les Blancs ont tendance à déménager.

On voit la différence fondamentale entre Chinois et Noirs. Les premiers refusent de copier leur ethnie d'accueil, alors que les Noirs s'empressent de la prendre pour modèle.

L'Afrique du Sud a connu les plus grandes difficultés au sujet de l'apartheid. Le sens est celui-ci : L'Afrique du Sud était presque vierge de population. La moitié a été investie par des Blancs et l'autre moitié par des Noirs. Il existe donc deux immigrations dont aucune ne peut se prévaloir d'un droit historique de la terre.

Les Blancs n'ont pas le pouvoir à cause de leur nombre, comme aux U.S.A., mais grâce à leur avancée technologique, infiniment plus productive.

Les Blancs, craignant l'étouffement et l'élimination, créèrent un apartheid très particulier. Au lieu de séparer géographiquement les ethnies, et de laisser l'autonomie à chacune d'elles, ils utilisèrent l'ethnie noire comme main-d'œuvre par goût du profit, tout en l'obligeant à vivre séparément.

Par honnêteté — ou hypocrisie ? — ils établirent une réglementation imposant les mêmes obligations aux Blancs comme aux Noirs. Finalement, les Noirs souhaitaient vivre parmi les Blancs, et pas le contraire. Cette loi ne fonctionna donc qu'à sens unique.

Ce système est aujourd'hui en voie de disparition, et la majorité noire va accéder au pouvoir. C'est une expérience intéressante, aux risques multiples, unique en son genre.

Troisième doctrine : le « racisme » culturel

Répétons ce que disait Jules Ferry, père de l'école laïque en France, homme à l'esprit clair, très intelligent et sincère et pour nous, véritable fondateur du racisme culturel :

« Un devoir supérieur de civilisation légitime seul le droit »
« d'aller chez les barbares. »

« La race supérieure ne conquiert pas dans le but d'exploiter »
« le plus faible mais bien de le civiliser et de l'élever jusqu'à »
« elle. »

Cette déclaration capitale montre bien l'ambiguïté de l'idéologie culturelle.

Elle mérite que l'on s'y arrête car c'est un véritable crédo.

Que dit exactement Jules Ferry ? D'abord que c'est un « devoir supérieur de civilisation » d'aller chez les barbares. En l'occurrence les barbares étaient les Noirs africains et les Indochinois.

Il se considère comme un missionnaire laïque qui vient sauver les hommes.

Jules Ferry ajoute : « La race supérieure... » C'est-à-dire l'ethnie dont il fait partie.

De son temps, cette expression « race supérieure » passait comme une lettre à la poste chez les défenseurs de la culture. Aujourd'hui elle vous enverrait en prison. Passons.

Jules Ferry poursuit : « ... a pour but de civiliser et d'élever jusqu'à elle le barbare. »

Jules Ferry voulait dire que les Français de son époque avaient une civilisation et des connaissances très supérieures à celles des Noirs ; c'était leur devoir de « civiliser » les Africains.

126

J'appelle ça du racisme culturel, car les valeurs à faire partager aux « barbares » sont quand même spécifiques de cette race supérieure.

Cette « race supérieure » pense sincèrement que ses valeurs sont réellement universelles, et qu'elle a eu la chance de les découvrir avant les autres. Elle veut faire profiter tous les autres de ses découvertes.

Le mot découverte est là encore ambigu.

En effet, ces valeurs sont en réalité des idées nouvelles, des créations.

Une découverte, c'est trouver quelque chose qui existe en dehors de soi. Christophe Colomb a découvert l'Amérique. Le bateau à voile qu'il utilisait résulte de nombreuses inventions. Avant, il n'existait pas.

Les Européens n'ont pas découvert la Déclaration des Droits de l'homme en fouillant le sol. Ils ont créé ces valeurs, dont on peut discuter.

Déclarer barbares les peuples qui ne les adoptent pas est très arbitraire.

Se croire supérieur parce qu'on les aplique est subjectif.

Là encore, la « race supérieure » choisit elle-même les critères permettant de classer les civilisations. C'est donc incontestablement un racisme culturel.

On ne demande pas seulement aux peuples de reconnaître certaines valeurs, de respecter certaines croyances — quitte à ne pas les appliquer et à vivre comme bon leur semble. Tout leur style de vie est examiné à la loupe.

Si la « race supérieure » déclare barbare la peine de mort, les peuples qui n'adoptent pas la même position sont mis à l'index. Théoriquement les peuples sont pourtant libres de disposer d'eux-mêmes.

Si un peuple « barbare » a un style de vie trop différent

de celui des peuples appartenant à la « race supérieure »,
ceux-ci utilisent, pour le convaincre de changer ses lois,
toutes sortes de mesures économiques dont les conséquences sont parfois bien plus meurtrières que l'utilisation
des armes de guerre.

Refuser des crédits, l'achat des produits du pays, refuser
de lui vendre des marchandises strictement nécessaires à
son activité, c'est la mort lente assurée.

Cependant, comme cela est fait dans le but d'inciter le
pays à adopter une civilisation plus noble, plus conforme
à la morale ou plutôt à l'éthique, l'idéologie culturelle
trouve cela très bien.

Ces mesures, pouvant apporter chômage et famine, sont
considérées comme très convenables et justifiées.

De toute façon, nous ne pensons pas que « racisme
naturel » et « racisme culturel » soient de bonnes solutions.

Quatrième doctrine : le melting pot

Les premiers occupants des U.S.A., les Peaux-Rouges,
ont été éliminés. Ce fut un génocide de fait, et ce pays
devint un territoire uniquement peuplé d'immigrés.

Le « rêve américain » : donner à tous ces immigrés la
même langue, la même culture, les mêmes valeurs, les
mêmes chances afin qu'ils deviennent tous des Américains, hommes nouveaux ayant oublié leurs origines.

Dans la mesure où l'inné ne compte plus chez un
homme civilisé, un même acquis était suffisant pour
cimenter un seul peuple. Le métissage devenait inutile
mais il pouvait se produire naturellement suivant les
hasards de la vie et de l'amour.

Si l'on croit à l'idéologie culturelle, cela devait marcher.

Pourtant, parmi les films à grand succès, le « Voyage
au bout de l'Enfer » montre le mariage d'un couple

américain d'ascendance polonaise. La cérémonie, le mariage religieux, les danses, la nourriture, sont « comme là-bas ».

Presque plus Polonais qu'en Pologne.

Dans le film à épisodes au succès important, « Le Parrain » nous voyons la vie des Italiens à New York.

Là encore tout est italien, plus Italien qu'en Italie du Sud, de A jusqu'à Z.

Pourtant Italiens et Polonais, blancs européens, auraient dû s'assimiler facilement et disparaître dans le melting-pot pour devenir totalement américains.

Ça n'a pas marché, sinon pour une partie de la population rapidement métissée.

Les autres sont restés Italiens, Polonais, Irlandais, Juifs, sans parler des Africains, des Mexicains, des Chinois, etc., etc.

Au-delà de ces séparations par nationalités, il se produit un certain regroupement par grandes catégories : les européens, les asiatiques, les africains, les latino-américains.

Actuellement les Européens, les plus nombreux, dirigent à peu près toutes les entreprises.

Le suffrage universel leur est favorable. Cependant les Européens ont le plus faible taux de fécondité, et presque pas d'immigration.

Les plus forts taux de fécondité sont pour les Africains et les Latinos. La plus forte immigration est pour les Latinos.

Jusqu'ici le Melting Pot a parfaitement fonctionné pour la langue (anglaise devenue américaine). Il ne fonctionne plus dans le Sud, lieu de forte immigration mexicaine où d'importantes régions utilisent la langue espagnole et ignorent l'américain.

Les Africains, les Latinos assimilent difficilement la technologie spécifiquement européenne. Cette inadaptation les pousse au chômage ou aux activités défendues par la Loi des Européens.

Lorsque Africains et Latinos seront la majorité, le pouvoir politique sera à leur portée.

La situation deviendra alors extrêmement chaotique. Toutes les valeurs européennes imposées jusque-là par la majorité blanche seront remises en question.

Les dirigeants de nos vieilles nations d'Europe veulent nous faire croire à un « Rêve américain ». Ils veulent pour le réaliser favoriser au maximum le mélange des peuples, des ethnies et l'unification des civilisations, des valeurs.

Ce melting-pot européen sera beaucoup plus difficile à réaliser qu'aux U.S.A. Il est indispensable, avant d'aller plus loin dans cette voie, d'analyser sérieusement cette civilisation américaine.

Elle nous est connue par des films et séries télévisées fabriqués par ceux dont la réussite prouve que le « rêve américain » est réalisable.

Cependant, ayant une peur panique de l'échec de l'intégration, ils présentent dans leurs œuvres cette intégration comme réussie.

Cette propagande, tacitement orientée, embellit la vie en commun de toutes les ethnies, particulièrement des Noirs et des Blancs.

Les Européens, en regardant ces films et ces séries télévisées se font une idée fausse de la réalité américaine.

En France également, les médias présentent, sous un jour trompeur, la vie des Africains dans notre pays.

Ceux-ci apparaissent comme parfaitement intégrés.

La réalité est différente.

Aux États-Unis, les émeutes de Los Angeles ont révélé une formidable haine des Noirs et des Latinos pour les Asiatiques, dont les qualités naturelles permettent une facile adaptation aux techniques professionnelles créés par les Blancs, et de ce fait une réussite qu'ils ne peuvent obtenir.

Pourquoi aux États-Unis, dont les richesses naturelles par habitant sont dix fois celles de la Suisse, y a-t-il d'immenses quartiers pauvres, sales, où les gens vivent de la criminalité, alors qu'en Suisse cela n'existe pas ?

Pourquoi, dans ce pays si riche, peuplé d'un grand nombre d'Européens intelligents et actifs, ayant les plus grandes, les plus prestigieuses Universités, les meilleures écoles de gestion, le secteur industriel décline-t-il si gravement ?

Pourquoi n'existe-t-il pas un véritable art américain, mais une mosaïque de créations artistiques, inspirées des pays d'origine de leurs auteurs ?

Les U.S.A. sont-ils pour l'Europe le paradis qui doit servir de modèle ?

Des fonctionnaires anonymes, à Bruxelles, nous dirigent subrepticement et inexorablement vers ce « Paradis ». Les peuples d'Europe doivent être consultés pour dire oui en connaissance de cause.

Cinquième doctrine : l'ordre naturel

Chaque homme peut se définir par trois éléments principaux.

L'inné, nature profonde, intransformable.

Les habitudes, qui forment la seconde nature. Ce sont

des dispositions acquises, généralement avant l'âge adulte, qui règlent notre comportement. Cette seconde nature est plus ou moins transformable.

Enfin, troisième élément, l'acquis culturel, le plus souvent formé de connaissances abstraites.

L'entente entre deux êtres sera profonde et excellente lorsque les deux premiers éléments sont semblables, c'est-à-dire lorsqu'ils ont le même patrimoine génétique et seront élevés dans une même région et dans un même milieu social. Rappelez-vous de mon exemple des jumeaux.

Par contre, l'entente culturelle reste très superficielle.

Si les patrimoines génétiques, les habitudes sont très différents, l'entente culturelle est fragile, prête à se briser lorsqu'il ne s'agit plus de parler, de discuter, d'échanger des idées, mais de se **comporter**.

Vivre, c'est faire des choix. Certes notre instinct grégaire nous incite à ne pas nous différencier de nos semblables ou parfois à faire exactement le contraire par provocation. Dans les deux cas, c'est du conformisme.

L'homme, sensible aux modes, montre qu'il appartient à une communauté. Mais si ces modes sont contraires à sa nature, il recherche parmi ses semblables des êtres ayant le même naturel pour former un groupe qui résiste à la majorité.

Les inventions, les créations artistiques sont le fruit de la nature profonde, de l'inné, du patrimoine génétique.

Une civilisation se construit par l'accumulation de ces inventions et de ces créations.

Chaque ethnie produit sa propre civilisation, sa propre architecture, sa propre musique, ses propres danses, sa propre cuisine, ses propres mœurs, sa propre religion.

Assurer qu'une civilisation est supérieure à une autre n'a aucun sens.

Par contre, reconnaître qu'un peuple est heureux et forme une société stable si les patrimoines génétiques de ses habitants ont plus d'analogie que de différence, s'il se défend des dérives génétiques, s'il vit dans son pays au milieu d'une civilisation créée par ses ancêtres de même sang que lui, voilà une chose sensée.

La faute terrible des Grecs, des Romains, des Blancs américains, c'est d'avoir fait appel à des esclaves pour effectuer certains travaux qu'ils jugeaient indignes d'eux.

Ils ont manqué de courage. L'Antiquité l'a payé par l'écroulement de sa civilisation, détruite de l'intérieur. La société américaine risque de s'écrouler pour les mêmes raisons.

Faire appel à des hommes appartenant à d'autres ethnies pour effectuer certains travaux dans le but final d'accroître sa richesse est un calcul à courte vue aux conséquences incalculables.

A. G. : Pourquoi après tant d'exemples d'intégration refusée, ou d'intégration réussie mais avec une lente modification des qualités naturelles de l'ethnie d'accueil, et finalement l'inadaptation à la civilisation ancestrale, poursuit-on ce rêve de société universelle ?

M. L. : Les hommes qui ont le pouvoir dans tous les domaines croient sincèrement à l'idéologie culturelle.

Pour eux, les différences entre les peuples ne sont dues qu'à des différences culturelles, donc acquises et non à des différences innées, naturelles.

Ils pensent donc sincèrement que l'instauration d'une culture universelle, et la reconnaissance de valeurs universelles comme celles définies par la Déclaration des Droits de l'homme, résoudraient les problèmes, supprimeraient les différences, et créeraient un nouvel ordre où régnerait la bonne entente.

Si je pensais que ces idées étaient justes, je les accepterais avec enthousiasme.

Le but est magnifique et les moyens simples à mettre en œuvre.

Malheureusement, ce que j'ai vu m'a convaincu que les principes de l'idéologie culturelle sont complètement faux. On perd tragiquement son temps et ses efforts à poursuivre ces chimères.

Deux erreurs sont à éviter.

Chaque ethnie ne doit plus considérer sa civilisation (on dit aujourd'hui sa culture) comme supérieure à celle de ses voisins.

Ensuite, chaque peuple renoncera à enseigner ou imposer ses valeurs, sa culture, sa civilisation à d'autres ethnies.

La civilisation, c'est l'accumulation des inventions et des créations d'une ethnie.

L'ethnie c'est l'ensemble des individus ayant des patrimoines génétiques voisins, une mentalité commune.

Ce sont les principes de l'ordre naturel.

Comme l'écrivait le grand historien israélien J.L. Talmon en 1980 : « De nos jours, le seul moyen d'aboutir à une coexistence entre les peuples est, bien que cela puisse paraître ironique et décevant, de les séparer. »

Il faut convaincre toutes les ethnies de cette vérité afin que la séparation se fasse par consentement mutuel.

HISTOIRE DE LA COLONISATION EN AFRIQUE

A. G. : La phrase de Jules Ferry que vous avez citée et qui résume si bien un des aspects de l'idéologie culturelle fut dite à l'occasion de la colonisation de l'Afrique par les Français.

Elle la justifiait en la pavant de bonnes intentions.

Ces hommes étaient-ils sincères ou hypocrites ? Leur mission fut-elle un succès ou un échec ?

M. L. : Ils étaient sincères. L'Afrique est un véritable laboratoire d'idées, de leur mise en œuvre, de leur application et de leurs conséquences.

Efforçons-nous d'être honnêtes afin de bien comprendre ce qui s'est passé.

Permettez-moi de vous présenter une histoire très schématique de la colonisation française en Afrique.

Dans le passé, les populations européennes, grâce à un pouvoir inventif et une vitalité plus grande, se multiplièrent malgré les guerres, les famines, les épidémies.

Manquant d'espace vital, des groupes d'hommes décidèrent alors d'aller vivre ailleurs, notamment en Afrique. Ils formèrent d'abord des colonies en certains points de la côte, et ouvrirent des comptoirs commerciaux pour troquer des produits africains introuvables en Europe, contre des produits européens.

Puis certains Européens se lancèrent dans la production agricole ou minière en utilisant de la main-d'œuvre locale.

135

Les Africains étaient donc considérés comme de la main-d'œuvre sous-payée.

Les Européens de cette époque n'étaient pas des enfants de chœur. La vie était rude, le climat pénible, le confort nul et les maladies nombreuses et difficiles à soigner.

Ils apprenaient aux Africains le travail utile à la plantation, sans s'occuper de les instruire ou de leur faire changer leur religion ou leurs mœurs tribales.

La structure créée par les Africains, qui leur avait permis de se perpétuer dans un relatif équilibre, n'était pas modifiée.

Ce fut la colonisation du profit.

Après une longue période d'un travail acharné, les Européens se protégèrent des tribus hostiles et des maladies. Lorsque le confort et la nourriture s'améliorèrent, il devint possible pour des hommes à l'esprit moins aventureux, moins durs à la tâche, de s'installer dans un pays devenu plus hospitalier.

Alors commença la colonisation culturelle.

Il est très important, à ce stade de notre histoire, de bien expliquer la différence fondamentale entre la colonisation du profit et la colonisation culturelle — même si nous schématisons un peu.

Dans la nature, les différentes espèces cohabitent, sans qu'aucune se sente supérieure ou inférieure à une autre.

Certes, il y a des prédateurs, mais le loup ne se croit pas supérieur à l'agneau. Simplement, il a été fait pour le manger et il accomplit le destin inscrit dans son patrimoine héréditaire.

De même, les Européens de la colonisation du profit ne se considéraient pas supérieurs aux Africains. Simplement, pour accomplir leurs ambitions, ils utilisaient les Africains pour travailler.

Avec les tenants de la colonisation culturelle, il en allait tout autrement. Les Européens étaient, eux, absolument convaincus de leur absolue supériorité à tous points de vue.

D'une part, les religieux, missionnaires, pensèrent que toutes les religions africaines étaient inférieures, mauvaises. Il fallait les extirper pour les remplacer par de bonnes croyances européennes. D'autre part, les laïcs trouvèrent que la façon dont les Africains vivaient était barbare par rapport à leur façon de vivre.

Répétons ce que disait Jules Ferry : « **Un devoir supérieur de civilisation légitime seul le droit d'aller chez les barbares. La race supérieure ne conquiert pas dans le but d'exploiter le plus faible, mais bien de le civiliser et de l'élever jusqu'à elle.** »

Ce texte, d'une parfaite limpidité, explique clairement ce que devait être la colonisation culturelle.

Lorsque celle-ci fut accomplie, un autre socialiste éminent, de confession israélite, Léon Blum, la justifia le 9 juillet 1925 à la Chambre des députés en ces termes : « Nous avons trop l'amour de notre pays pour désavouer l'expansion de la pensée, de la civilisation française [...]. Nous admettons le droit et même le devoir des races supérieures d'attirer à elles celles qui ne sont pas parvenues au même degré de culture et de les appeler aux progrès réalisés grâce aux efforts de la science et de l'industrie. »

A cette époque tous les Européens se considéraient comme appartenant à une race supérieure à celles des peuples colonisés.

Revenons à la colonisation culturelle et à notre explication sur la manière dont elle se développa en Afrique.

Dans un premier temps, celle-ci accepta de travailler avec la colonisation du profit.

Les intellectuels avaient besoin des coloniaux pour assurer leur confort, leur sécurité, leur subsistance. Les coloniaux regardaient avec beaucoup de scepticisme cette transformation plus ou moins superficielle des us et coutumes des Africains.

Cependant, peu à peu, les mœurs jugées brutales et grossières des coloniaux agacèrent ou révoltèrent les tenants de l'idéologie culturelle : finalement, le mieux serait de les expulser, eux restant pour continuer leur œuvre de civilisation.

Pour eux, les coloniaux européens s'appropriaient les richesses de l'Afrique. Même si, en créant de grandes exploitations qui n'existaient pas avant leur venue, ils avaient incontestablement enrichi le pays, il était possible, en formant les Africains, de permettre à ceux-ci de les remplacer efficacement.

Puisque, pour la colonisation culturelle, l'inné n'existe pas et que seul l'acquis gouverne les hommes civilisés, l'opération de substitution était très réalisable.

Il fallait donc envoyer beaucoup de professeurs européens en Afrique, beaucoup d'étudiants africains en Europe. En deux ou trois générations, comme l'avait dit Jules Ferry, les barbares africains seraient civilisés et « élevés » jusqu'au niveau de la « race supérieure ».

Aujourd'hui, on ne parlerait plus de « race supérieure ». Cependant, cela revient au même : ces valeurs dites *universelles* sont spécifiques des ethnies européennes, et cela suppose leur supériorité sur celles des ethnies africaines qui en ont pourtant créé d'autres tout aussi valables de leur point de vue.

Revenons à notre histoire de la colonisation culturelle.

A cette époque, les relations entre les pionniers, la colonisation du profit et les hommes de la colonisation culturelle étaient « mitigées », bonnes ou détestables.

La situation resta assez stable jusqu'à la Deuxième Guerre mondiale. Les États-Unis trouvèrent grand intérêt à déstabiliser les empires coloniaux européens pour y accéder librement, et assurer leur suprématie d'entrepreneurs capitalistes.

Au début de la guerre, les deux leaders politiques français, de Gaulle et Pétain, malgré leur opposition, chantaient la grandeur de l'Empire colonial français. De Gaulle voulait le défendre contre une mainmise des Allemands, et Pétain contre les Anglais. Mais peu à peu la position idéologique gaullienne évolua sous la pression des Américains.

Il ne s'agissait plus de défendre un empire convoité par une nation ennemie, mais une idéologie des Droits de l'homme, de l'égalité de tous les êtres et de toutes les races, contre une idéologie prônant l'inégalité et la supériorité de la race blanche européenne, sur la race noire africaine.

Dès lors de Gaulle soutint de plus en plus la colonisation culturelle, même si beaucoup de ses soldats étaient des coloniaux de la vieille tradition — ultra-nationalistes et persuadés de la supériorité de la race à laquelle ils appartenaient.

Les plans de cette époque partaient de l'idée que l'Afrique en était au stade de l'Europe du Moyen Age.

Pourtant, la construction d'une cathédrale, compte tenu des connaissances scientifiques et de la technologie, n'était nullement inférieure sur le plan artistique et technique aux plus grandes constructions modernes. Bien au contraire.

L'Afrique en était peut-être au Moyen Age européen sur le plan technologique, mais sur le plan des réalisations, elle en était très loin.

Bref, ce fut une erreur de départ aux conséquences inéluctables.

L'Afrique n'avait pas eu son Charlemagne pour créer des écoles, mais grâce aux Européens, elle allait pouvoir faire de la formation accélérée.

Les Africains sont très doués pour le maniement des mots. Ils aiment à se réunir le soir, et à discuter sans fin sur mille sujets.

On s'aperçut qu'ils pouvaient devenir des politiciens, des avocats, des écrivains fort acceptables. Et comme ce genre d'hommes plaît à l'idéologie culturelle, cela parut très encourageant.

Malheureusement l'habileté à discourir, et celle à organiser et à diriger une entreprise agricole, commerciale ou industrielle, sont deux choses très différentes.

Des hommes incultes deviennent des organisateurs nés, comme de brillants diplômés d'écoles de gestion mènent leur entreprise à la faillite.

Gouverner, donc gérer, c'est prévoir. Mieux, on imagine le développement de son entreprise, demain, dans une semaine, dans un an, dans dix, mieux on saura la conduire.

Toutes les ethnies qui vécurent dans des régions où les hivers étaient longs, étaient bien obligées de s'organiser pour survivre. Les individus imprévoyants disparaissaient, et avec eux leur patrimoine génétique.

En Afrique, vivre sans vêtement, de cueillette et de

chasse, reste possible toute l'année. L'imprévoyance n'y est pas catastrophique, et cela explique peut-être le caractère plus insouciant des Noirs.

Nos tenants de l'idéologie culturelle jugent que pour l'homme du XXᵉ siècle l'acquis est presque tout. Une dose massive d'enseignement, soit sur place, soit en Europe (plus des aides financières importantes) doivent permettre aux Africains de remplacer les Européens.

Le gain devait être fantastique, les énormes prélèvements des coloniaux sur la richesse africaine étant supprimés, et remplacés par un enrichissement des Africains eux-mêmes.

Les Noirs en furent tellement convaincus que certains pays, comme Madagascar organisèrent la malgachisation systématique de l'encadrement.

De vieilles familles françaises, aux excellentes et amicales relations avec la population indigène, furent expulsées comme les coloniaux les plus récents.

Le résultat fut tout à fait négatif : un pays assez bien équipé où le niveau de vie était acceptable, devint une terre de famine où tout se délabre : routes, bâtiments, maisons, infrastructures diverses...

L'échec à cent pour cent.

La colonisation culturelle quitta le pays sur la pointe des pieds, très discrète sur les résultats obtenus, connus des seuls initiés.

Ne nous moquons pas de ces Noirs d'Afrique, dans l'ensemble si sympathiques, et qui malheureusement changent souvent de mentalité en s'installant en Europe.

Ils sont les victimes de conseillers qui ne sont pas les payeurs.

Que firent les États-Unis dans cette décolonisation

qu'ils avaient préparée ? Les financiers américains et internationaux, à travers les multinationales, avaient leurs plans.

Avec l'argent on fait tout, mieux qu'avec des armes. Le temps où l'on contraignait les rois africains avec des canonnières était révolu. Le temps des bakchichs était arrivé, ou plutôt, pour les rois, celui des comptes-numéros dans les banques de paradis fiscaux.

Les multinationales, dans les pays où la classe politique n'avait pas la dignité des Malgaches, se mirent à pourrir systématiquement les dirigeants et l'administration, pour créer des entreprises en toute sécurité — comme au bon vieux temps où celles-ci étaient garanties par les armes des colonisateurs.

L'administration coloniale ne se contentait pas de protéger les exploitants européens, mais organisait et structurait le pays d'une manière souvent très remarquable. Elle s'efforçait de faire régner un ordre sans compromission et sans favoritisme. Le capitalisme international, au contraire, ne songeait qu'à son profit et laissait avec indifférence se développer des mœurs hideuses.

Au temps de l'administration coloniale, un service de santé (qui n'avait pas réfléchi aux conséquences de sa politique), procédait à l'éradication des maladies proprement africaines. Le nouvel ordre culturel apporta, comme on le disait, non pas la civilisation mais la « syphilisation ».

De nos jours la syphilis est dépassée, et nous apportons d'autres maladies qui rendent la situation bien plus désastreuse.

L'alliance de la culture et de l'argent n'a pas fait des merveilles.

Finalement on en arriva à la formation d'une sorte de Nomenklatura : des gens de la même famille « spirituelle », qui se reconnaissent entre eux par leur manière d'être et leur volonté d'avoir et de garder le pouvoir pour se servir.

On peut garder le pouvoir par sa compétence, par l'estime de ses administrés, mais aussi en sachant corrompre les uns, menacer les autres, en mettant aux postes-clefs de la police, de l'armée et des médias, des hommes sûrs, profitant largement des bienfaits du pouvoir en place.

La Nomenklatura africaine, formée dans les universités européennes, est particulièrement corrompue et incapable.

Ses membres ont vraiment profité de la décolonisation. Par contre les paysans ou les manœuvres des villes sont dans une situation bien plus mauvaise qu'au temps où leur pays était occupé par les Européens.

Ils sont devenus des parias dont personne ne s'occupe plus.

Au temps de la décolonisation, l'Afrique était un grand sujet de conversation et de discussion pour l'intelligentsia européenne.

On saluait la renaissance d'un continent si longtemps sous le joug, et chacun y allait d'un projet pour lui permettre de trouver plus vite son épanouissement.

Quelle allégresse, quelle euphorie !

C'était plaisir de voir ces braves gens frémir d'impatience.

Quelque temps après, un des membres influents de l'idéologie culturelle, qui connaissait l'Afrique de longue date, écrivit un livre : *L'Afrique est mal partie.*

Ce fut comme une fausse note dans ce concert de certitudes.

Oui, c'est vrai, l'Afrique est si mal partie qu'elle n'est jamais arrivée.

Maintenant personne n'en parle plus. Tous connaissent le désastre et personne n'a plus de remède, même les utopistes les plus délirants.

Seules quelques petites phrases désabusées sont répétées tristement : « Mieux vaut apprendre à un homme à pêcher que de lui donner des poissons. »

Mais on sait qu'on ne peut ni lui apprendre à pêcher, ni surtout lui donner des poissons : il en faudrait trop, et la mer est de moins en moins poissonneuse.

On doit tirer de cette histoire africaine bien des enseignements.

Par principe, il vaut mieux que les ethnies cherchent à résoudre elles-mêmes leurs problèmes.

Si on avait laissé l'Afrique aux Africains, il y aurait eu certes la continuation des guerres tribales, des famines, de l'esclavagisme ou des épidémies, mais à l'intérieur d'un certain équilibre ancestral.

Les premiers colons, offrant des armes contre des produits africains, commencèrent à perturber cet équilibre.

L'organisation de plantations fut par contre bénéfique, ou modifia l'équilibre économique sans le perturber.

L'exploitation des forêts fit beaucoup de mal.

Puis vinrent les hommes remplis de bonnes intentions (l'enfer n'en est-il pas pavé ?), qui voulurent changer les structures tribales, les mœurs, la religion et lutter contre les maladies et les épidémies.

La destabilisation devint totale. L'éradication de maladies endémiques fut à l'origine d'une explosion démographique. Nos sociologues pensaient maîtriser facilement celle-ci par une prospérité qui incite à avoir moins d'enfants pour mieux profiter de la vie.

Cette loi sociologique s'avéra fausse. L'organisation de la production à l'Européenne n'intéressait pas les Africains.

Nous avons réussi à faire croître la population, à lui apprendre à consommer à l'européenne, mais pas à produire.

Ce surplus de population, dans chaque village, ne pouvait qu'émigrer : d'abord dans les grandes villes où il créa d'immenses et ignobles bidonvilles, puis, plus tard, vers des pays où le plus misérable chômeur vivait cent fois mieux que ces parias.

Souvent porteurs de maladies, ces miséreux déboussolés étaient la proie rêvée des pourvoyeurs de drogue.

Quand on se drogue et qu'on n'a pas le sou, la solution est d'en faire le commerce.

Triste aboutissement de la doctrine de Jules Ferry, si belle dans ses intentions, si laide et écœurante dans ses résultats.

Que faire maintenant ?

Il n'y a que deux solutions, aussi cruelles l'une que l'autre (à moins que l'on continue à laisser aller les choses jusqu'à l'anarchie totale).

Première solution : laisser l'Afrique totalement aux Africains et arrêter peu à peu toute aide.

Ce serait effrayant. Mais l'Europe se couperait d'un continent qui risque de la déstabiliser elle-même si elle accepte sur son sol ces dizaines de millions d'hommes affamés.

Deuxième solution : recoloniser l'Afrique, non pour l'exploiter, mais pour la structurer et remettre de l'ordre.

Faire revenir des planteurs pour organiser la production de vivres, rétablir l'hygiène, trouver des solutions pragmatiques pour arrêter la progression démographique, en un premier temps, et l'inverser si nécessaire.

Naturellement il faudrait balayer toutes les Nomenklaturas et sélectionner les hommes d'action africains. Il y en a !

Si on le fait *sans esprit de profit, sans idée de domination,* avec la seule passion de créer quelque chose de grand dont on puisse être fier, alors tout est possible.

Vouloir, c'est pouvoir.

MOLIÈRE ET L'IDÉOLOGIE CULTURELLE

A. G. : Vous ne considérez pas que tous les intellectuels soient pour l'idéologie culturelle ; bien au contraire, un grand nombre sont beaucoup plus proches de l'Ordre Naturel.

M. L. : Tout à fait exact. Je vous ai notamment cité Molière qui a su donner une forme amusante, distrayante, que son public réclamait, à une pensée d'une singulière profondeur et originalité.

Pour que l'œuvre d'un homme de lettres franchisse les siècles, son analyse de la société dans laquelle il vit ne doit pas seulement intéresser ses contemporains, mais demeurer en raison de sa véracité. Elle sera suffisamment profonde pour mettre en évidence des travers propres à la nature humaine, qu'on retrouve en tous temps, sous des formes diverses, dans différentes activités.

Si Molière n'avait mis en scène que des « Précieuses », des « Femmes Savantes », des « Tartuffes », des « Misanthropes », des professeurs de philosophie, des médecins, des poètes, des caractères typiquement de son siècle ayant complètement disparu avec lui, alors ses comédies étaient seulement dignes d'amuser ou d'agacer ses contemporains.

Elles n'auraient pour nous qu'un intérêt anecdotique, comme la description d'une technique ancienne complètement disparue.

Or, on ne peut dire, à la fois, que Molière est éternel, et ses analyses de caractères d'un autre temps.

C'est se protéger de ses critiques tout en marquant une vénération de bon aloi pour leur auteur.

Nous ne ferons que quelques remarques sur l'œuvre de Molière.

Si nous en croyons les tenants de l'idéologie culturelle, les femmes, autrefois, comptaient pour rien.

Elles n'avaient aucune existence juridique, n'allaient pas à l'école et n'avaient ni accès à la culture, ni accès aux nombreux métiers que celle-ci permet d'exercer.

Servantes de leur mari, elles étaient juste bonnes à tenir le ménage, à faire la cuisine, à se taire et attendre les ordres de leur « seigneur et maître ».

Grâce aux intellectuels, surtout depuis la Révolution française, peu à peu les femmes seraient devenues les égales des hommes, jouant le même rôle qu'eux dans la société.

Ces « vérités » sont démenties par la lecture des comédies de Molière.

Les femmes y tiennent un rôle de premier plan, parfois critiquées ou ridiculisées mais aussi souvent porte-parole de l'intelligence, du cœur, de l'esprit.

Autre chose bien plus étonnante : les servantes — qui ne devraient être que des « objets » selon ce que l'on voudrait nous faire croire — ont un rôle de premier plan qu'elles n'ont plus de nos jours.

Nous n'imaginons pas à notre époque une jeune domestique s'esclaffant du nouveau costume de son maître, et lui disant sans crainte combien il est ridicule.

Pourtant Nicole, jeune servante de M. Jourdain, ne

peut retenir son fou rire en voyant le nouvel habit de celui-ci.

En outre elle critique les nouveaux amis, le nouveau style de vie de M. Jourdain, et ces remarques ne sont pas dites à la cuisine, mais lui sont adressées directement.

Bien d'autres servantes de Molière donnent leur avis sur tous les problèmes familiaux.

Ce qu'il y a de merveilleux en les écoutant, c'est qu'on les sent « de la famille ».

Elles parlent sans retenue, d'égal à égal. C'est une leçon exemplaire de vraie égalité entre sexes et classes sociales, chacun gardant la marque de son origine sans l'ombre d'une honte ou d'un sentiment de supériorité ; chacun conserve le sens d'une certaine hiérarchie qui doit toujours exister dans une cellule au bon fonctionnement.

A y regarder de près, les servantes ont la part beaucoup plus belle que les hommes et les femmes cultivés — ou qui se piquent de l'être.

Une deuxième chose frappe dans l'œuvre de Molière : sa sympathie évidente pour les êtres simples dont le bon sens **naturel** reste la vertu principale.

C'est par leur bouche que Molière dit le fond de sa pensée.

Dans les « Femmes Savantes » c'est par la bouche de Chrysale et d'Ariste qu'il parle. Ceux-ci font à Philaminte et Bélise une longue apologie de la femme au foyer s'occupant de bien tenir son ménage — condamnation implacable de la culture-vanité.

Il faut lire et relire cette longue profession de foi de Chrysale qui se « nourrit de bonne soupe et non de beau langage » pour sentir combien Molière est fondamentalement opposé à la naissance de l'idéologie culturelle (dont c'était les premiers balbutiements).

Dans les « Précieuses Ridicules », Molière, par la bouche de Gorgibus fustige les dépenses en produits de beauté (que dirait-il aujourd'hui ?), ainsi que la mode dans le langage.

De son temps la mode était au langage précieux. De nos jours, c'est au langage vulgaire à tendance argotique, mais le ridicule est le même.

Molière est pour le langage simple et naturel.

Dans « Tartuffe », Molière parle par la voix de Cléante : « Je ne suis point, mon frère, un docteur révéré... je sais comme je parle, et le ciel voit mon cœur. »

Molière fait parler aussi Dorine, la suivante de Marianne, fille d'Orgon. Elle pense mieux que ses maîtres. Elle possède le jugement et l'esprit. De tous les personnages de « Tartuffe » elle est la plus jeune, et celle dont les origines sont les plus modestes. C'est cependant, sans conteste, la plus intelligente.

Les personnages de Molière qui ont sa sympathie et expriment ses idées parlent d'autorité, sans jamais se référer à ce qu'on leur a enseigné, ni à tel prophète, tel saint, tel philosophe, tel grand homme.

Par contre ceux qu'il fait passer pour des imbéciles ou des scélérats, ceux qui lui sont antipathiques, ne cessent de se référer à un enseignement reçu. Ils ont tous du savoir.

Or c'est justement ce qui caractérise l'idéologie culturelle. On raisonne, on agit grâce à l'acquis.

Pour l'Ordre Naturel, c'est de naissance que l'on est honnête ou scélérat, qu'on a du jugement ou que l'on est stupide.

Les personnages sympathiques de Molière ont un bon sens et une droiture de caractère innés.

Un autre thème abordé par Molière : la promotion sociale.

Quoi de mieux, de plus exemplaire pour l'idéologie culturelle qu'un fils de paysan renonce à être comme son père, et cherche à « s'élever » par la lecture et l'accumulation de connaissances abstraites et de diplômes ?

Par la même occasion, le fils renonce au genre de vie de ses parents.

Il devient un fonctionnaire respecté aux mains aussi blanches que le col de sa chemise.

Pour reprendre une fable d'autrefois, l'âne devient petit chien.

Mais ni Molière, ni La Fontaine ne croient à cette promotion sociale.

Monsieur Jourdain est un brave homme, bon et honnête commerçant à qui la réussite professionnelle a procuré une certaine fortune.

Au lieu de la mettre en réserve et d'être fier de son état, de sa famille, de sa classe sociale, il écoute quelques conseillers avides de son argent, qui lui suggèrent de « s'élever » dans la hiérarchie sociale.

Monsieur Jourdain commence à avoir honte de ce qu'il est, honte de sa famille, honte de sa classe.

Il est mûr pour la « promotion sociale ».

Molière analyse en détail le processus de cette transformation. Monsieur Jourdain change sa manière de manger, de s'habiller, de parler. Il apprend le métier des armes, comme les gentilshommes.

Il doit surtout se cultiver, apprendre les sciences et la philosophie.

Molière fustige autant les professeurs que l'élève. Les premiers, pour leur prétention et le décalage entre ce qu'ils enseignent et leur comportement. L'élève, pour sa naïveté et son admiration puérile de toutes les connaissances abstraites.

Molière condamne, sans restriction, la promotion sociale par la culture.

Certes Molière use et abuse, dans certaines pièces, de la bouffonnerie — genre mineur quoi qu'on en dise.

Mais c'était un chef d'entreprise, responsable d'une troupe.

Un chef d'entreprise doit toujours faire du « clientélisme » et chercher le profit pour payer les salariés.

Dans les campagnes, le « Misanthrope » n'aurait jamais pu attirer le public populaire — qui voulait se distraire.

C'est là le génie de Molière : avoir donné de la gaieté à une analyse si profonde de personnages complexes.

Chacun y trouve son contentement.

L'ÉDUCATION DES ENFANTS

M. L. : Autrefois, il n'y avait pas de sot métier, mais seulement de sottes gens.

Presque tous les métiers étaient « manuels » (exigeant un savoir-faire) et un très petit nombre était intellectuel, demandant surtout du savoir-dire.

Mais tous étaient intelligents, demandaient une longue période d'apprentissage pour être exercés et perfectibles.

Chacun pouvait améliorer sa technique, son efficacité, son savoir-faire, et donner à son travail l'empreinte de sa propre personnalité.

Chacun travaillait pour son propre compte.

C'était la grande époque de l'entreprise familiale agricole, et de l'artisanat.

Aujourd'hui, il existe un nombre de plus en plus considérable de métiers stupides. J'appelle métier stupide celui qui s'apprend en quelques heures, et qui n'est pas perfectible.

Dans l'usine que j'ai créée, les deux tiers du personnel étaient constitués d'O.S.

« Ouvrier spécialisé », titre ronflant qui ne veut rien dire. Le travail de mes O.S. consistait à mettre des pièces dans des cartons, à fermer les cartons, et à les mettre sur des palettes.

En quelques heures le savoir-faire était acquis, et nulle amélioration n'était possible ni sur la qualité du travail ni sur sa rapidité. La machine imposait le rythme du conditionnement.

En outre, les horaires étaient contraires au rythme biologique, et à une vie familiale harmonieuse.

Étais-je coupable ? Je n'étais qu'un pauvre patron se battant contre une terrible concurrence française et étrangère, et dont la productivité était l'impitoyable loi.

Ces O.S. n'avaient d'autre espoir que de conserver leur place jusqu'à la retraite.

Des O.S., il en existe en France des millions et des millions. Il y en aura de plus en plus — à moins que des robots ne les conduisent au chômage.

Comment l'agriculteur, l'artisan d'autrefois, sont-ils devenus O.S. ? A la suite d'inventions.

Les objets fabriqués un par un, créés et réalisés par l'artisan ont été remplacés par des articles fabriqués en grandes séries, grâce à la mécanisation utilisant l'énergie du charbon, du pétrole, de l'atome, et remplaçant la force humaine.

Nous sommes à l'aube d'une évolution bien plus importante avec l'invasion des ordinateurs, de la mémoire et de l'intelligence artificielle.

A. G. : Cette évolution ne nous rapproche-t-elle pas de la société des loisirs annoncée comme imminente voici trente ans ?

M. L. : Une société où la plupart consommerait sans travailler ? Une telle société est-elle viable ? Je ne le pense pas. Nous en reparlerons.

En regardant travailler mes O.S., je me suis demandé ce qu'ils avaient appris à l'école de 3 à 18 ans.

A. G. : A lire et à écrire.

M. L. : Ils n'écrivent plus. Le téléphone a remplacé la lettre. Par obligation administrative parfois ils écrivent sous la dictée, avec une orthographe désastreuse.

Ils lisent avec difficulté, mais préfèrent la radio et la télé.

Qu'ont-ils appris, que peut-on leur apprendre entre 3 et 18 ans ?

A. G. : Votre question est un piège. Elle m'embarrasse.

A quoi peut servir le baccalauréat à ces millions d'O.S. auxquels s'ajoutent les millions de chômeurs ?

M. L. : A rien.

Autrefois, il n'existait pas d'école unique, laïque et obligatoire. On comprenait bien que chaque enfant ait sa « nature », ses goûts. Il choisissait son métier parmi ceux qu'il voyait pratiquer autour de lui.

Tu veux être menuisier ? D'accord. Tu veux être forgeron, faire de la musique, ou être soldat, ou prêtre ? D'accord.

Les parents trouvaient toujours le maître d'apprentissage de leur enfant. Cette règle de solidarité permettait à l'enfant le plus pauvre de réussir selon sa vocation.

Aujourd'hui, c'est différent. L'État prend en charge l'enfant dès l'âge de 3 ans sans savoir très bien ce qu'il va en faire.

Après la guerre, l'Éducation nationale avait une doctrine précise : donner à tous les enfants une culture générale nécessaire pour devenir un citoyen civilisé, capable de choisir des études pour exercer une profession conforme à ses aptitudes et à ses goûts.

Il n'était alors pas question de donner la moindre formation professionnelle. L'Éducation nationale repous-

155

sait avec horreur l'idée de s'intéresser aux besoins des entreprises, de devenir les « négriers » de ces capitalistes uniquement préoccupés de profits.

La culture désintéressée était le seul objectif.

Les programmes étaient conçus par des professeurs, des intellectuels à la connaissance purement abstraite, et dont l'idéal était de faire de tous les enfants de « petits encyclopédistes ».

Ces études étaient suivies avec joie par ceux des enfants que leur « nature » prédisposait à devenir professeur, ou enseignant.

Chaque homme se considère légitimement comme un exemple sur terre, et souhaite former les enfants à son image. Une éducation organisée et donnée par des professeurs ne pouvait que former des professeurs.

Seulement ces derniers, hors de leur métier, font-ils de bons charcutiers, de bons ingénieurs, de bons représentants, de bons militaires ?

Seulement un petit nombre d'élèves, les meilleurs, pouvait espérer devenir enseignant.

Pour la majorité des autres, la culture générale qui devait former des citoyens accomplis, glissa sur eux, comme la pluie sur une feuille de chou — sans y pénétrer.

Ce type d'enseignement privilégiait les élèves à l'aise dans le monde de l'abstrait, et avantageait la mémoire.

Celui qui était doué d'une remarquable mémoire était sûr de réussir en langues étrangères, en géographie, en histoire, sciences naturelles, en français. Seuls les problèmes mathématiques réclamaient un certain type d'intelligence.

Dans l'ensemble, un garçon peu intelligent mais doué d'une forte mémoire, réussissait mieux.

Un autre point de vue est à considérer. Voilà soixante ans, beaucoup de professions nécessitaient une accumulation de connaissances mémorisées. Celles-ci pouvaient servir toute une vie.

De nos jours, les mémoires artificielles des ordinateurs permettent d'enregistrer bien plus de connaissances que la mémoire humaine, de les mettre à jour facilement, ce qui est devenu indispensable.

En outre, ces mémoires artificielles sont sans défaillance, trouvent la donnée recherchée immédiatement sans erreur, et sont continuellement tenues à jour par une autre personne que les consultants.

Voilà le professionnel débarrassé de la corvée du recyclage.

Cela ne me gênerait nullement de voir mon médecin entrer tous les symptômes qu'il a notés pour avoir le diagnostic ou parfois l'obligation de faire certains examens pour choisir entre plusieurs maladies.

Un conseiller fiscal ayant la plus grande peine du monde à calculer l'impôt sur le revenu, peut aujourd'hui le trouver en quelques minutes avec certitude, s'il a un logiciel.

A-t-on réformé toutes les études en tenant compte de l'utilisation possible de l'ordinateur dans un très grand nombre de professions ?

A. G. : D'après vous, un médecin utilisant un ordinateur avec de bons logiciels pourrait se concentrer sur l'étude de son client (le terrain de la maladie, qui oriente la prescription médicale) et sur la recherche des symptômes.

M. L. : Par ce procédé, un médecin débutant pourrait

obtenir un diagnostic et un traitement dignes d'un bon professionnel.

Si mémoire et intelligence artificielles ont commencé à bouleverser le commerce et l'industrie, d'autres professions ont peur des graves conséquences de ces inventions.

A. G. : Revenons sur l'éducation des enfants entre trois et dix-huit ans.

M. L. : Longtemps, l'Éducation nationale n'avait d'autre objectif que de former des citoyens en leur donnant une vaste culture générale.

Tant que les études furent suivies par les enfants des classes plus intellectuelles que manuelles, soit environ dix mille enfants par an, les résultats furent satisfaisants.

Mais lorsque l'objectif fut de donner le baccalauréat à six cent mille candidats par an, les résultats devinrent catastrophiques.

La grande majorité des élèves était issue de classes sociales où le travail demande avant tout du savoir-faire.

Les études purement abstraites étaient contraires à leur nature.

L'Éducation nationale tenta alors de mettre les épreuves du baccalauréat au niveau de ces élèves. Malgré cet effort sans précédent, au moins trente pour cent des élèves refusèrent de s'intéresser à l'enseignement prodigué.

Certains élèves apprennent facilement et avec plaisir. Celui qui fait un rejet total peut, soit se considérer comme un crétin et connaître la dépression, soit refuser le système d'éducation, les enseignants et la société qui le tyrannise.

Il devient un marginal, refusant d'entrer dans le système de valeur de l'Éducation nationale.

Il est mûr pour devenir, au sens propre du terme, un hors-la-loi.

A. G. : Il existe tout de même une certaine proportion de réussite.

M. L. : Je ne connais pas les pourcentages. Mais à première vue et sous toutes réserves, je pense que dix pour cent des élèves continuent leurs études jusqu'à l'obtention d'un diplôme garantissant un emploi. Vingt pour cent obtiennent un petit diplôme qui facilite un peu la recherche d'un emploi (exemple : diplôme de secrétaire, aide-comptable, etc.).

Cinquante pour cent arrêtent après le baccalauréat, et s'aperçoivent que celui-ci ne leur sert à rien.

Vingt pour cent restent des illettrés et deviennent des marginaux.

Devant ces résultats catastrophiques, l'Éducation nationale a quelque peu réagi. Renonçant à la seule culture générale, elle se préoccupe de la formation professionnelle, sous réserve d'en rester maître d'œuvre.

Les résultats ne sont pas très probants.

A. G. : Que proposez-vous ?

M. L. : Je ne suis pas pour le diplôme-privilège, qui donne droit pour toute la vie à une situation sûre, à une carrière dont le niveau correspond à celui du diplôme et non à l'efficacité dans la profession.

Il faudra bien qu'un jour nous ayons notre « nuit du 4 août ».

D'autre part, je n'accepte pas que les métiers dits « manuels » soient méprisés au point que leurs classes préparatoires soient les dépotoirs de l'Éducation nationale.

Je n'accepte pas non plus que les intellectuels aillent visiter de loin en loin — pour les honorer de leur présence — des professions « manuelles ».

Cela rappelle certaines grandes bourgeoises qui visitaient leurs pauvres.

Ces gens-là ne sont pas supérieurs aux « manuels ». Ils œuvrent dans l'abstrait au lieu d'œuvrer dans le concret.

Dès le départ, l'Éducation nationale prendra en compte aussi bien les « manuels » que les « intellectuels ». Pour cela elle ne doit pas rester entièrement aux mains des intellectuels.

Les écoliers doivent d'abord apprendre les moyens de transmission de la connaissance, abstraite comme concrète.

On apprend soigneusement aux enfants à lire et à écrire, les mots étant les véhicules de la communication abstraite dont il faut avoir la maîtrise.

Pourtant, Napoléon, homme d'action très efficace, assurait qu'un petit croquis vaut mieux qu'un long discours.

Il préférait communiquer avec des plans, des dessins, de simples esquisses, plutôt que par des mots dont il craignait le flou.

Il me paraît donc essentiel d'assimiler en parallèle le dessin et le langage. Plus tard, le dessin deviendra un plan et la géométrie la connaissance de base de tous les métiers « manuels ».

La géométrie, c'est l'ordre, la clarté, la précision. Platon ne disait-il pas à ceux qui apprenaient sa philosophie : « Nul n'entre ici s'il n'est géomètre. »

La géométrie, c'est le point de rencontre entre l'abstrait et le concret.

On peut définir par des mots une ligne droite, un cercle, un triangle isocèle, un angle droit mais on peut également les dessiner.

Avez-vous remarqué combien les enfants retiennent vite les jeux les plus compliqués, alors qu'ils peinent à l'école ?

Ils sont motivés par ces jeux et non par les connaissances scolaires. Il faut donc trouver ce qu'ils ont envie d'apprendre.

Si certains s'intéressent plus au démontage d'une motocyclette qu'à la poésie d'Afred de Musset, donnons leur un engin et un mécanicien pour leur apprendre à bien le démonter.

Toute connaissance acquise par plaisir reste à jamais en soi, alors que celle entrée de force pour un examen s'évanouit dès le lendemain de l'épreuve.

A. G. : Et les futurs O.S. et chômeurs dont vous m'avez parlé, qu'allez-vous leur apprendre ?

M. L. : A lire et à écrire, bien que cela ne leur serve plus beaucoup. Il faut surtout leur apprendre tous les savoir-faire qui leur seront utiles dans la vie.

Le bricolage pour les garçons et la tenue d'un ménage pour les filles, voilà deux activités parallèles, intelligentes car perfectibles à l'infini. Elles permettront à des millions d'êtres humains d'échapper à l'abêtissement général.

Au lieu d'être spectateur inerte devant sa télévision, le bricolage, le jardinage, la tenue d'un ménage, la cuisine permettent d'être acteur, actif, réalisateur, créatif, perfectionniste.

A. G. : En résumé, vous proposez :
1) De revaloriser les métiers dits manuels.

2) D'apprendre les moyens qui aident à la transmission des connaissances abstraites et concrètes, aussi bien le langage, l'écriture que le dessin.

3) De motiver les enfants qui n'ont pas de goût pour les études abstraites en leur apprenant ce vers quoi ils sont le plus attirés.

M. L. : Par suite de l'augmentation du nombre des inventions, de nouveaux métiers ne cessent de naître alors que d'autres disparaissent.

Dans chaque métier, ou profession, les techniques évoluent tellement qu'il est impossible de prévoir des études pour vous y former.

Seule la formation continue peut le faire et elle doit devenir infiniment plus importante que la longue formation pré-professionnelle.

Amour naturel - amour culturel

A. G. : Vous m'avez parlé longuement de vos idées sur l'éducation des enfants et pourtant pas un mot sur l'éducation sexuelle.

De nos jours, elle a pris une importance considérable.

M. L. : Monsieur Jourdain avait appris à parler d'instinct, en imitant ses parents, de même qu'il savait boire, manger, mastiquer, parce que c'était inscrit dans son programme génétique.

Mais le professeur est venu lui expliquer comment dire A, E, I, O, U en utilisant correctement sa bouche, sa langue, ses dents.

Si le professeur l'avait pris en main à 2 ans, il aurait dit que c'était lui, uniquement lui, qui avait appris à parler à Monsieur Jourdain.

A. G. : Vous voulez dire que notre comportement amoureux est inscrit dans notre programme génétique ?

M. L. : Je défends la thèse que notre comportement est fondamentalement dirigé par un programme inné. Même si, comme tout animal grégaire, nous « suivons le troupeau » : nous nous laissons influencer par l'idéologie dominante ou le comportement majoritaire.

Nous devons donc absolument retrouver notre comportement naturel. Lui seul peut pleinement nous satisfaire.

Le patrimoine génétique humain est plus évolutif que

celui des animaux ou des végétaux. La détérioration du patrimoine génétique animal provoque l'inadaptation à l'environnement, et la disparition du sujet ou de l'espèce. Par contre, la société humaine aide ses inadaptés à vivre.

Il faut renoncer à appeler « comportement instinctif » ce qui n'est qu'une déviation de cet instinct.

Le film « Basic Instinct », et bien d'autres d'ailleurs, soutiennent que les violences sexuelles sont ataviques, manifestations de pulsions endormies.

Or, les violences sexuelles n'existent pas dans la nature. La femelle décide toujours de l'instant où elle va se faire saillir. Le mâle ne conteste jamais cette décision. Il attend un signe pour achever sa conquête.

Les personnages du film cité ont leur patrimoine génétique détérioré — ce qui modifie leur comportement naturel. On retrouve le même phénomène chez les débiles mentaux, avec différents stades s'éloignant de la normalité.

A. G. : Quel est donc ce comportement naturel et normal ?

M. L. : L'animal perpétue son patrimoine génétique grâce au coït.

Souvenez-vous de ce que je vous ai dit sur le comportement des animaux au moment de la reproduction.

Le mâle est toujours prêt. Il a en lui une réserve de semence qu'il peut utiliser n'importe quand.

Il en est tout autrement de la femelle.

Elle ne peut être fécondée que pendant une très courte période.

Son programme génétique va lui indiquer cet instant où elle doit accueillir le mâle. Celui-ci ne l'intéresse ni avant, ni après, et *elle se considère comme agressée s'il l'approche hors du moment qu'elle a choisi.*

Pour le mâle, l'acte de fécondation est le point final de son activité de reproduction, alors que pour la femelle, c'est le départ d'une considérable activité pour la mise au monde de nouvelles vies.

Le « point final » pour le mâle est si essentiel pour la perpétuation que l'incitation à le bien exécuter est à la mesure de son importance.

Le plaisir est donc le plus grand qu'il puisse éprouver dans sa vie.

L'imagination de l'homme a travaillé pour trouver le moyen de dissocier ce plaisir de sa conséquence — qui en empêche le renouvellement.

En effet, la femelle fécondée chez les animaux ne veut plus être approchée par le mâle. Le mâle peut alors mourir si son acte de reproduction n'est prévu qu'une fois dans la vie, ou attendre le prochain cycle de reproduction de la femelle.

L'homme trouva de nombreux moyens pour dissocier le plaisir sexuel de sa finalité : La masturbation, le coït interrompu, certaines caresses buccales, la pénétration anale, l'homosexualité, puis plus tard le préservatif, la pilule.

Cela lui permit de renouveler souvent la jouissance sexuelle, d'autant que des savants professaient que la continence est très dangereuse pour la santé, alors que dans la nature elle est de règle. Les nombreux mâles qui ne trouvent pas de partenaires vivent aussi bien que les autres.

De toutes façons, ils n'ont une activité sexuelle que quelques jours par an.

A. G. : Et la sexualité féminine, comment évolua-t-elle ?

M. L. : Dans la nature, l'activité sexuelle de la femelle avant l'acte de reproduction est faible. Elle trouve son plaisir à allumer les mâles afin qu'ils se battent pour avoir le droit de la féconder.

Ainsi le plus combattif, celui qui possède le meilleur patrimoine génétique reste seul en lice. Elle ne discute pas cette sélection naturelle.

Autant chez le mâle le plaisir accompagne obligatoirement le processus de fécondation, autant chez la femelle, une fois l'acceptation de la fécondation réalisée, celle-ci se fait totalement par l'action masculine.

Même si la femelle était inerte la fécondation serait aussi parfaitement réalisée.

Cependant, elle ressent un besoin sexuel diffus et non satisfait par l'acte, ce qui la pousse à en redemander.

Car la nature la pousse à tout faire pour la réussite de la fécondation, donc à inciter le mâle à utiliser toute sa réserve de semence jusqu'à épuisement.

Cependant, chez certains mammifères comme le bison, la femelle n'accepte qu'une fois le mâle.

Après, les jeux amoureux sont terminés.

A. G. : Revenons à l'espèce humaine.

M. L. : Jusqu'à une période récente, l'énergie nécessaire à la survie était presque exclusivement humaine. Le travail de l'aube au crépuscule ôtait à l'homme l'envie de rapports sexuels fréquents. En outre, l'environnement n'était pas dominé par la sexualité. Dans tous les milieux laborieux, la décence, la pudeur, étaient de règle. Ils ne portaient pas de vêtements excitant l'imagination, le désir sexuel.

Cette attitude était conforme à la vie naturelle où — en dehors de la courte période de fécondité — les animaux restent indifférents au sexe.

Pour le travailleur physique d'autrefois, les rapports sexuels étaient provoqués par la femme — comme dans la nature. Elle ne sollicitait plus son mari qu'après les naissances.

Ce style de vie était accepté comme normal.

Les mâles des classes sociales privilégiées multiplièrent les plaisirs du sexe. Les plus riches, les plus puissants, les plus séduisants, assouvirent leur désir par de multiples conquêtes. Ils incitèrent aussi, par la corruption, certaines femmes à simuler les rencontres. Ainsi naquit la prostitution parmi les femmes coquettes qui, suivant leur intelligence, devinrent de simples prostituées ou des courtisanes.

Naturellement cette simulation n'était possible que par cette particularité de la nature féminine à ne rien éprouver si le cœur n'est pas pris.

Certes les débuts sont difficiles, à cause de la répulsion à se donner sans amour. Puis peu à peu cela ne devient plus qu'une opération technique exécutée avec un sang-froid absolu, même si le métier exige de manifester les signes extérieurs d'un plaisir nullement éprouvé.

L'homme ne peut tricher. Il jouit ou il ne jouit pas. La femme et pas seulement la prostituée trompe son partenaire avec une extrême facilité et lui donne ce qu'il attend.

C'est donc seulement dans l'espèce humaine que la femme n'est pas seule à décider le moment où elle accepte de se donner.

Mais, après la période des prostituées, hétaïres, courtisanes, maîtresses, vint celle où l'homme — pour pouvoir jouir de son sexe au maximum — inventa l'égalité absolue entre l'homme et la femme.

La femme est plus facilement convaincue par les discours de l'homme, par son idéologie, que le contraire.

Pendant des siècles et des siècles on considérait la femme différente de l'homme (comme cela était dans la nature), mais pas du tout inférieure. Dans la plupart des régimes royalistes, une femme pouvait succéder à un homme et il y eut autant de grandes reines ou de grandes impératrices que de grands rois. On considérait comme dans l'ordre des choses que beaucoup de métiers ou d'activités fussent spécifiquement masculins, alors que d'autres étaient spécifiquement féminins. Cependant peu à peu naquirent des idéologies basées principalement sur la capacité à acquérir des connaissances abstraites.

Cette capacité est équivalente dans les deux sexes. A partir de là on n'eut de cesse de gommer les différences, prétendant que la vanité de l'homme les avait décidées.

Ce serait par mépris pour la femme qu'on lui refusait, par exemple, d'être militaire. En réalité à une époque où une femme mettait en moyenne dix enfants au monde, où le barda était lourd et les étapes longues, ce métier lui restait fermé.

En outre, de par leur nature, les hommes sont mieux faits pour se battre que les femmes.

Nul mépris dans cette ségrégation. Jeanne d'Arc, frêle jeune fille, bergère de son état n'eut aucun mal à prendre la tête de guerriers — dont beaucoup appartenaient à la haute noblesse.

Dans un véritable ordre naturel il n'existe pas de hiérarchie décrétée, codifiée ou déterminée par le degré de connaissances abstraites, mais un véritable partage du travail suivant le savoir-faire de chacun reconnu par tous.

Les guerriers éprouvés appartenant à la plus haute noblesse reconnurent que cette bergère inculte était née pour les commander. Aucune objection sur sa condition, sa jeunesse, sa féminité.

L'autorité naturelle de Jeanne fut analogue à celle de Jésus : « *Il enseignait en homme qui a autorié, et non pas comme les scribes.* » (Saint Marc) (opposition typique : autorité naturelle, autorité culturelle).

Autrefois les femmes allaient naturellement vers certaines activités, et les hommes vers d'autres par une libre décision de chacun d'eux.

Sauf dans le domaine de la religion et de certaines professions intellectuelles, rien n'empêchait une femme d'exercer un métier d'homme si elle en avait la force et les capacités.

En lisant l'histoire des siècles passés, on trouve plus de femmes ayant joué un grand rôle que de nos jours depuis leur « libération ».

Cependant pour l'idéologie culturelle, les activités masculines intellectuelles sont plus honorables, plus « gratifiantes », plus intelligentes, plus admirables que les activités féminines manuelles qui sont dégradantes, avilissantes, stupides.

Les femmes considérèrent comme une conquête glorieuse le fait d'exercer un métier jusque-là réservé et créé par les hommes. Ce qui aurait été glorieux c'est que des hommes exercent des métiers, ou des activités créés par les femmes.

Cette passion funeste de l'égalitarisme culturel poussa les femmes à mépriser et abandonner tout ce qui pendant des siècles avait fait leur dignité ; la maternité, la gestion de la maison familiale avec ses travaux domestiques :

cuisine, couture, tricot, soin de la basse-cour (pour les femmes d'agriculteurs).

A. G. : Et quelle fut la conséquence de cet égalitarisme sur le plan sexuel ?

M. L. : L'homme, comme tous les mâles, est toujours prêt au coït et à l'immense plaisir qu'il en retire. Autrefois, la quantité d'énergie qu'exigeait son travail calmait ses ardeurs, et la fécondation quasi automatique résultant de l'acte le privait de sa compagne pour de longs mois.

L'utilisation d'énergies autres qu'humaines augmenta l'oisiveté.

Cette oisiveté incita l'homme à rechercher davantage le plaisir sexuel. *Si la femme pouvait en faire de même, cette égalité ne pouvait que le satisfaire.*

Ce qu'on appelait autrefois organes génitaux ou de reproduction devinrent avant tout des centres de jouissance, dont il fallait étudier l'utilisation pour cette seule finalité.

Au nom de l'égalité des sexes, il fallait obtenir l'égalité de la jouissance.

Un problème se posait pour réaliser cette parfaite identité sur le plan sexuel : la femme, comme les femelles animales, était construite pour recevoir la semence masculine seulement quand elle le désirait, et pas à tout moment.

Alors on inventa une explication astucieuse : des générations de femmes, beaucoup plus croyantes que les hommes et plus pratiquantes, avaient subi des tabous résultant de la condamnation par le christianisme du plaisir sexuel.

De ce fait toutes les femmes étaient d'abord plus ou moins frigides, complexées, inhibées, en un mot malades.

Elles devraient se faire soigner, éduquer, d'où cette cohorte de psychologues, sexologues et autres psychosomates.

La médication était simple. D'abord accepter psychologiquement leur état de malade et désirer se faire soigner.

Ensuite accepter que leur partenaire éveille, réactive des zones érogènes mises en sommeil par des siècles de christianisme mutilant.

Cette théorie est-elle vraie ? C'est tout à fait douteux puisqu'une femme, un homme ou un enfant peuvent éprouver du plaisir à se faire sodomiser, en éduquant la zone érogène correspondante.

Ces zones érogènes ont été créées par des manipulations, des attouchements, des comportements n'ayant plus rien de naturel.

Nous abordons ici des questions physiologiques. Par passion de l'égalitarisme, l'idéologie culturelle veut trouver une identité entre le plaisir masculin (orgasme dû à l'éjaculation), et un certain orgasme féminin.

L'orgasme masculin n'est suscité que par l'éjaculation, acte essentiel de la fécondation. Un impuissant ne peut donc procréer, ni jouir.

L'orgasme n'est ni utile, ni nécessaire à la femme pour être fécondée. Une femme peut se faire féconder contre son consentement (viol) mais elle ne peut se faire féconder si l'homme n'en a pas envie.

Le comportement des impuissants s'écarte toujours de la normale.

Une femme frigide peut respirer la santé, la joie de vivre, l'intelligence, et avoir des enfants.

Enfin, si l'orgasme masculin s'explique facilement et se lie à la procréation, l'orgasme féminin reste mystérieux.

Dans un gros livre *(Rapport Hite)* qui fait autorité sur la sexualité des américaines, je lis :

« Des femmes qui croient avoir des orgasmes en faisant l'amour n'en ont sans doute pas. De toute façon l'orgasme, qu'il soit obtenu par le coït ou autrement, et quelles que soient les différences de perception, ne peut avoir qu'une origine fondamentale : *il est toujours dû, quelles que soient les modalités, à la stimulation clitoridienne...* »

Je lis également : « Si l'orgasme, pendant le coït, est vague, comment peut-on être sûr d'en avoir un ? »

Bref, il est dit clairement que seule la masturbation clitoridienne procure une véritable jouissance, un véritable orgasme.

Si, d'une part, les femmes ne peuvent se rendre compte de l'orgasme, et si, d'autre part, l'idéologie culturelle affirme qu'une femme frigide est anormale, quelle valeur accorder aux sondages posant la question « Éprouvez-vous un orgasme pendant le coït ? »

Accepte-t-on de gaité de cœur de se déclarer anormale dans un sondage ?

Mais, nous assurent ces nouveaux doctrinaires, c'est l'honneur de l'homme que cette conquête de plaisirs ignorés par l'animal. Cultiver certaines jouissances, n'est-ce pas ce qui nous distingue de la bête ? N'est-ce pas un signe de raffinement et de civilisation ?

A. G : Que répondez-vous à cela ?

M. L : C'est une vieille doctrine professée par les « libertins » d'autrefois.

A cette époque ils ne formaient qu'un groupe restreint d'hommes oisifs appartenant aux classes riches. Leur influence était très limitée.

172

On doit reconnaître à ce type d'hommes une vivacité d'esprit, un don de la parole qui charment. La méditation leur est étrangère.

De nos jours ces libertins, grâce à l'invention des moyens de communications audiovisuels, ont pris une part prépondérante dans la diffusion de ces idées. Ce sont les « professeurs de morale » de notre époque.

Ils propagent ce nouvel hédonisme, cette recherche du plaisir (principalement du plaisir sexuel) comme finalité de l'homme.

A. G. : C'est une doctrine comme une autre. Au nom de quoi pouvez-vous la condamner ?

M. L. : D'abord j'explique l'évolution. Je montre l'importance des inventions dans cette évolution.

Avant l'invention de l'imprimerie, la presque totalité de la population était formée de producteurs « manuels », ayant un savoir-faire qui se transmettait par l'apprentissage.

Les intellectuels transmettaient leur connaissance par la parole et le nombre de leurs disciples était resteint.

L'imprimerie allait donner un extraordinaire moyen de diffusion aux connaissances abstraites, alors que les connaissances concrètes, le savoir-faire, continuaient à se transmettre par l'apprentissage.

Dès lors la montée en puissance des intellectuels devint irrésistible.

Les nouveaux moyens de transmettre la parole devaient, une fois encore, bouleverser l'échelle des valeurs.

Tel chanteur, à la voix fluette qui aurait été autrefois un crève-la-faim car il ne pouvait charmer qu'un auditoire restreint, est aujourd'hui un homme parmi les plus riches.

Les partis politiques se battent pour obtenir de lui un mot en leur faveur.

L'audiovisuel a propulsé au sommet de notre société les libertins, dont l'influence autrefois était presque nulle.

Ces libertins ont-ils une bonne ou une mauvaise influence sur l'évolution de la société humaine ?

La finalité de tout être vivant n'est pas le plaisir (qui n'est qu'un moyen) mais la perpétuation.

Celle-ci n'est possible que par la maintenance de l'intégrité du patrimoine génétique.

Il peut s'adapter lorsque l'environnement change.

Chez l'homme, l'intégrité n'est pas maintenue. De plus en plus d'enfants naissent handicapés.

D'où vient cette dégénérescence ?

Puisque nous parlons de l'amour, ma question est la suivante : la recherche, par tous les moyens, de plaisirs et de sensations poussée jusqu'au paroxysme est-elle sans conséquence sur le maintien, dans toute son intégrité, du patrimoine génétique ?

A. G. : C'est une question qui vous tracasse, la survie de l'être humain.

M. L. : C'est vrai. Je suis frappé, en observant les animaux, de constater que de génération en génération chaque individu conserve toute sa santé pour affronter les mêmes périls, la même adversité.

Les chattes d'aujourd'hui peuvent mettre au monde des petits plusieurs fois par an sans montrer un signe de fatigue, aussi bien que leurs ancêtres. Elles vivront aussi longtemps que les chats, dont le seul travail est la fécondation.

Certes, on nous dit que la santé ne cesse de s'améliorer ;

il y a deux siècles nous ne vivions guère au-delà de trente à trente-cinq ans.

Il s'agit d'un calcul truqué prenant en compte d'un côté l'importante mortalité infantile, et en face l'acharnement thérapeutique qui fait survivre pendant des années des êtres qui ont perdu toute autonomie.

En vérité si l'espérance de vie a augmenté, cela n'est pas dû à la surabondance des médicaments qui nous sont prescrits, mais grâce aux vaccins et à la chirurgie — dont les résultats sont incontestables.

Mais permettez-moi d'évaluer la santé d'une autre manière. C'est la capacité d'affronter toutes les épreuves de la vie, tant physiquement que moralement.

Carême fut un traiteur, un cuisinier de génie, auteur de plusieurs ouvrages sur la gastronomie. Il était le 23e enfant d'une famille pauvre, et j'imagine sa mère *« pondant »* probablement un enfant par an entre 20 et 43 ans.

Pensons au confort de l'époque. Pas de chauffage, pas d'eau courante (puisée au puits ou à la fontaine).

Des femmes comme elle étaient légion.

Existe-t-il en France, de nos jours, une seule femme capable d'affronter une telle épreuve physique et morale ?

A. G. : Et c'est beaucoup mieux ainsi. Le progrès nous a délivrés de ce calvaire.

M. L. : Vous dites calvaire. Ce serait vrai pour une femme d'aujourd'hui. Madame Carême était probablement heureuse au milieu de sa flopée d'enfants de tous âges.

Notre patrimoine génétique a évolué pour s'adapter, jusqu'à un certain point, à la vie moderne. Plus nous sommes protégés, plus nous sommes faibles.

Pour les femmes d'aujourd'hui, vivre comme ses ancêtres, ressortirait du bagne pur et simple.

J'observe ma chatte, qui vient nourrir ses petits. Je la vois s'étendre voluptueusement, lécher de temps en temps ses chatons et ronronner de bonheur.

Je me dis qu'il y a deux siècles, et même moins, notre immense paysannerie française vivait d'une manière très naturelle, si proche de l'animalité qu'un rien l'en séparait. Nos paysans et nos paysannes avaient certainement cette extraordinaire vitalité combative que l'on voit chez les animaux sauvages.

Voyez ces oiseaux dont les petits viennent d'être mangés, et le nid détruit par un prédateur ; les voilà aussitôt au travail pour construire un nouveau nid, pour y pondre, élever de nouveaux oisillons.

Un rayon de soleil, et ils chantent la joie de vivre.

Les malheurs, c'est le passé. L'avenir est à eux.

A. G. : Ne pourriez-vous revenir à l'amour — à moins que le sujet soit épuisé ?

M. L. : Certainement pas. J'ai parlé seulement de sexualité.

Chez les animaux sauvages, on observe deux types de comportement concernant l'activité pour la reproduction.

Ou bien les mâles et les femelles sont des solitaires qui se rencontrent pour l'unique acte de fécondation. Dans ce cas, la femelle élève ses petits. Ou bien le mâle et la femelle s'accouplent pour s'entraider, principalement pour protéger et élever les petits. C'est le cas des oiseaux.

Chez tous les animaux dont le mâle est beaucoup plus vigoureux que la femelle, celui-ci a un rôle de protecteur contre les différents prédateurs de l'espèce.

Chez les oiseaux, l'accouplement peut être considéré comme purement sentimental, car il n'a aucun caractère sexuel.

Chez les êtres humains les rapports sont ambigus. Chez l'homme, remarquons le comportement du prédateur, du solitaire qui recherche la partenaire acceptant ses hommages pour l'assouvissement de son désir. Le mâle cherche aussi, une compagne pour vivre avec elle, la protéger et avoir des enfants.

De même, la femme recherche le bon géniteur, c'est-à-dire l'homme qui lui plaît physiquement et d'autre part l'homme qui la protégera, en qui elle aura confiance, qui sera près d'elle pour le meilleur et pour le pire.

On prétend aujourd'hui réaliser l'égalité des sexes. Or, il existe un grand nombre de revues pornographiques présentant des femmes nues dans tous leurs détails. Et ces revues ont un grand succès auprès des hommes. Mais on ne voit en face aucune revue présentant, à l'intention des jeunes filles, des hommes nus sous tous les angles. Ça ne les intéresse pas.

Par contre les « romans roses » racontant sous mille formes l'histoire du prince charmant épousant la jeune fille sage et pauvre, ont un grand succès auprès des filles. Elles s'en cachent, car ces lectures vont contre les idées à la mode.

Est-ce à dire que les jeunes gens ne sont pas sentimentaux ?

Victor Hugo a 19 ans quand celle avec qui il a échangé une « promesse » quitte Paris pour Dreux. Ses parents veulent qu'elle passe des vacances loin de ce soupirant sans situation.

Victor n'est pas riche. Il ne sait pas où Adèle va habiter à Dreux. Qu'importe, il part à pied, fait près de

90 kilomètres dans l'espoir, non pas de rencontrer sa belle, mais seulement de l'apercevoir de loin lorsqu'elle se promène avec ses parents.

Je l'imagine faisant de grandes étapes, le cœur en fête. Un tel comportement n'était pas un signe de folie à cette époque. Cela faisait partie de la longue et difficile conquête de celle qui n'était que pour un seul.

A. G. : Pour vous l'éducation sexuelle, telle qu'elle est pratiquée pour les adultes, revient à apprendre à utiliser un certain nombre de zones érogènes, le plus possible, pour nourrir des phantasmes par l'excitation de ces zones sensibles, seul, ou à deux, ou à plusieurs.

M. L. : Exciter l'imagination par ces procédés peut provoquer une détérioration du patrimoine génétique, d'où résulterait l'augmentation des anomalies mentales dans les générations futures.

Conclusion : nous cernons mieux ce que fut « l'amour naturel » : un certain comportement de l'homme et de la femme dans les sociétés de race blanche jusqu'à une époque récente, avant la Première Guerre mondiale.

La sexualité ne devait pas avoir plus de place qu'elle n'en a dans la nature. C'est pourquoi, bien que vivant d'une manière naturelle, ce qui rappelait le sexe était inconvenant, choquant, indécent.

Il fallait extirper les phantasmes sexuels des individus, donc tout ce qui pouvait les provoquer.

La jeune fille tenait la dragée haute à ses soupirants, comme toutes les femelles des mammifères.

Elle imposait sa volonté : trouver l'homme de sa vie.

Ce comportement était justifié par la morale laïque et les religions chrétiennes, mais non provoquées par elles.

La disparition de l'effort physique, la diminution considérable du temps de travail, tout cela dû non pas aux idées socialistes mais à l'invention de moteurs remplaçant l'énergie humaine, laissa aux êtres humains de très grands loisirs.

A cela s'ajouta l'invention de différents systèmes de contraception très simples à utiliser.

Les idées à la mode, la nouvelle morale, justifièrent les nouveaux comportements en prétendant les diriger.

Quant aux religions chrétiennes, elles restèrent inertes, cachant soigneusemnt certains enseignements du Christ condamnant sans ambiguïté le vagabondage sexuel.

En outre beaucoup de médecins déclarèrent la continence mauvaise pour la santé, ce qui est totalement faux.

Ainsi le comportement de la jeune fille vierge attendant l'homme qui partagerait sa vie ; le jeune homme acceptant de faire sa cour, pendant des années avant d'obtenir une promesse, tout cela disparut, fut déclaré archaïque.

La considérable augmentation des rapports sexuels provoqua une diminution de la virilité masculine et une recherche d'autres moyens pour la maintenir.

La femme — comme disait Napoléon — est faite pour avoir des enfants. Dans un comportement naturel, elle est seule à décider de l'acte charnel. Là, elle se vit privée d'enfants et obligée d'accéder aux demandes de l'homme.

Elle utilisa son pouvoir de procurer un immense plaisir pour obtenir ce qu'elle voulait de lui.

La femme peut toujours donner toutes les apparences de l'acte naturel et spontané alors que c'est un acte réfléchi : devoir conjugal ou acte permettant la réalisation d'un objectif.

Celui-ci peut être l'obtention immédiate d'un cadeau

mais peut être aussi beaucoup plus lointain. Il est souvent le désir de faire plaisir à l'homme qu'elle aime, par le cœur.

Ces nouveaux comportements sont beaucoup plus préjudiciables à l'équilibre de la femme qu'à celui de l'homme.

Seuls l'amour et la maternité donnent à la femme son véritable équilibre. Ses enfants sont sa force. La « mama » règne calmement sur toute la famille.

Sans enfant, la femme materne des animaux de compagnie ou son mari, mais ces substitutions ne lui donnent pas ce dont elle a besoin.

Cependant, l'idéologie culturelle s'acharne à réaliser l'harmonie du couple grâce à la « libération sexuelle » de la femme, pour lui permettre de connaître une jouissance semblable à celle de l'homme pendant le coït.

Elle prétend que l'harmonie sentimentale du couple, la bonne entente de tous les jours, dépendent de l'harmonie sexuelle.

Aussi, sommes-nous submergés de livres, revues, émissions de radio ou de télévision, afin d'aider le couple à trouver cette harmonie sexuelle, clé du bonheur et de la solidité du mariage.

Les spécialistes foisonnent, tous partisans de l'idéologie culturelle : psychanalistes, sexologues, psychologues, conseillers matrimoniaux.

Pourtant, à Paris, 50 % des couples divorcent.

Est-ce la preuve de l'échec de la doctrine sexuelle, propre à l'idéologie culturelle ?

LA PUBLICITÉ

A. G. : Pensez-vous que, dans sa forme actuelle, la publicité joue un rôle bénéfique ou néfaste dans l'évolution de notre société ?

M. L. : De par sa nature, l'homme appartient à une espèce grégaire. Il informe ses semblables de n'importe quoi, notamment de tout ce qui touche à leur nourriture et leur sécurité.

Dans l'ordre naturel ces informations se transmettent de bouche à oreille, de façon désintéressée. C'est la publicité informative.

Une fois informé, l'être humain est libre d'en tenir compte ou non. S'il s'agit d'un produit consommable, il sait qu'il existe, mais il n'est pas incité à l'acheter.

L'incitation ne peut venir que de celui ayant intérêt à faire consommer.

Le premier système d'incitation indirecte fut l'enseigne, et la première réaction de protection contre cette incitation fut le dicton : « Bon vin n'a pas d'enseigne ».

Comme bien des proverbes anciens, celui-ci expose avec le minimum de mots le problème fondamental de la publicité.

La publicité incitative, au contraire de la publicité informative, porte atteinte à la libre et à la bonne décision.

Je ne choisirais pas mon vin sur le seul critère d'une dégustation personnelle : l'enseigne luxueuse qui impressionne mon esprit déformera mon jugement sans que j'en aie conscience.

C'est le début de la publicité-intox contre laquelle la sagesse populaire a mis en garde les consommateurs.

Le bon vin n'a besoin ni d'une enseigne, ni d'une belle bouteille, ni d'une belle étiquette. Mais peu à peu la publicité-intox a pris une position prépondérante, et s'est rendue indispensable pour obtenir la décision d'achat.

Par son enseigne, le marchand de vin va attirer de nombreux clients de passage. Sans cette accroche, ils seraient peut-être allés chez le concurrent dont les produits sont jugés meilleurs.

Que va faire l'autre marchand de vin ?

Une plus belle enseigne !

Résultat : chaque marchand aura fait une importante dépense inutile, la publicité du second annulant celle du premier.

Cependant la consommation totale du vin ne sera pas modifiée, et le publicitaire apparaîtra alors comme un parasite.

Pour une population donnée, les revenus à dépenser ne sont pas extensibles.

Chaque individu disposant de son salaire peut le dépenser, pour son habitation, en vêtements, en nourriture, en placements financiers, en voyages touristiques, etc.

Comme ceux qui incitent à dépenser l'argent font tous de la publicité, il n'y a pas beaucoup de chance de prendre des parts de marché.

Même si une agence de publicité « géniale » augmente les ventes de ses clients — qui prennent ainsi des parts de marché à leurs concurrents — cela ne signifie pas que ceux-ci font des produits moins bons.

En fin de compte l'agence aura réussi à intoxiquer les acheteurs, pour les empêcher de faire le meilleur choix.

C'est exactement le rôle du très bon vendeur, qui vous laisse, après coup, l'amertume de vous être laissé circonvenir.

En résumé, la publicité-intox ne sert à rien, puisqu'elle n'augmente pas la masse des dépenses. Elle prend aussi des parts de marché non justifiées par l'intérêt du produit, ce qui risque d'avoir pour le fournisseur des contrecoups négatifs.

Un client trompé est un client perdu pour toujours.

Il existe un Bureau de Vérification de la Publicité. Sa seule mission : dépister et interdire les publicités mensongères.

Or « publicité mensongère » est un pléonasme. Toute publicité incitative est mensongère, au minimum par omission.

Ne donner que les qualités d'un produit en taisant ses défauts est un mensonge par omission.

Le B.V.P. ne s'attaque jamais à des entreprises de quelque importance. Il aide la tromperie au lieu de l'empêcher.

Son label ne garantit rien du tout.

Voyez par exemple les eaux minérales.

Généralement, elles sont meilleures que l'eau du robinet pour le goût, et souvent pour la pureté. C'est tout.

Autrefois (moins d'un siècle) l'eau de la fontaine ou du puits était toujours pure et bonne.

La consommation de l'eau minérale n'est qu'un « progrès » par rapport à une dégradation, une amélioration factice de notre niveau de vie.

Or, la publicité s'est ingéniée à leur donner des propriétés complètement à l'opposé de celles qu'elles possèdent.

L'eau est triste à boire. Elle ne rend pas joyeux et ne symbolise pas la fête.

Un être fatigué et déprimé ne retrouve pas un tonus extraordinaire en buvant de l'eau minérale.

L'eau ne donne pas force et santé. Elle évite simplement de les perdre si elle remplace l'alcool.

Ces énormes mensonges forment la trame de toutes les publicités vantant les eaux minérales, mais les producteurs sont si puissants, leurs publicitaires si importants, que le B.V.P. se tait.

Un petit artisan vendra-t-il une lotion pour faire repousser les cheveux ! Le B.V.P. ne le ratera pas !

Le B.V.P. ne jouant aucun rôle, n'étant qu'un parasite supplémentaire, il n'existe plus de frein à la publicité mensongère.

N'importe quelle société de produits de beauté peut lancer une crème pour rajeunir, embellir, arrêter le vieillissement de la peau. Les effets du produit sont faibles ou passagers. Mais la publicité importante, répétée, nous montre des visages de femmes au joli teint, à la belle peau.

Qui osera dire que cette crème est sans effet, que les visages photographiés n'ont pas été traités avec ?

Les journalistes des revues doivent essayer le produit et donner, en toute impartialité, leur opinion.

Mais une revue ne vit que de la publicité et cette grosse société de cosmétiques a un très gros budget.

La journaliste elle-même est invitée à une présentation dans un merveilleux hôtel, un site de rêve.

Elle reçoit un joli cadeau de bienvenue. Allez dire, après cela, que le produit est sans intérêt !

Certes, le mensonge est un art. On ne peut qu'admirer le talent de certains publicitaires.

Les dépenses de publicité incitative sont devenues énormes. Le résultat est inutile si les publicités d'un secteur commercial s'annulent. Il est pervers quand l'excellente incitation d'une marque provoque un mauvais achat.

On ne peut pas sortir de là.

La publicité ne se contente pas des supports classiques : journaux, revues, radios, télévision. Elle va sur les lieux de vente avec des emballages perdus, remarquablement imprimés, des présentoirs jetables, des primes, des jeux avec voyages touristiques aux gagnants, etc. C'est l'engrenage de la surenchère, où l'on espère toujours gagner quelques parts de marché.

En principe, selon le dicton : « Bon vin n'a pas d'enseigne », le producteur n'a qu'un objectif : emporter la décision du client par une meilleure qualité plutôt que par la publicité.

Dans les sociétés modernes, la qualité du produit est perdue de vue.

Si, par un coup de baguette magique on pouvait faire disparaître toute publicité incitative pour ne tolérer que la publicité informative, exacte, honnête, sans omission, on assisterait à une transformation considérable des entreprises industrielles.

Actuellement, les ingénieurs de production sont les parents pauvres de l'entreprise. Ils deviendraient les plus importants.

Concevoir, mettre au point, produire pour obtenir le

meilleur rapport qualité/prix, voilà l'objectif vrai d'un producteur.

La distribution n'aurait d'autre objectif que ce meilleur rapport qualité/prix, et l'acheteur final ne serait influencé que par son propre goût, son seul jugement.

Non seulement la publicité incitative disparaîtrait, mais les commerciaux deviendraient des administratifs faisant la liaison entre la production et les clients, pour remonter l'information à la production.

Nos campagnes seraient débarrassées de ces affreux panneaux, de plus en plus agressifs pour mieux attirer le regard.

Chacun de nous ne serait plus la simple cellule d'une opinion publique dirigée par la publicité, mais un être libre, indépendant, responsable, jugeant de tout par lui-même.

Quelle merveilleuse révolution est à portée de notre main !

A. G. : A portée de la main, c'est vite dit. C'est oublier que tous les médias vivent non pas de leurs clients, mais de la publicité.

Or, ces médias, journaux, revues, radio, télévision forment l'opinion publique.

Ils ne peuvent diffuser des idées dont le succès provoquerait leur mort.

M. L. : Leur mort ? Est-ce si sûr ? Leur transformation, certainement.

Nous ne payons pas directement les radios et télévisions privées. Supprimer la publicité nous obligerait à les payer. Dépense supplémentaire en apparence, car ce que nous achetons serait moins cher si la publicité incitative disparaissait.

Tout deviendrait plus sain, car plus vrai.

Il faudrait créer des redevances radio et télé dont les bénéficiaires seraient désignés par le payeur, donc le client.

Naguère, sur les marchés de province, les paysannes apportaient leurs œufs, leurs volailles, leur beurre et autres produits — qui étaient offerts sans emballage, sans publicité par des femmes « muettes ». C'était le symbole de la vraie distribution.

Le client achetait les produits qui lui convenaient le mieux d'après sa propre expérience, sans intermédiaire.

L'Ordre Naturel nécessite de supprimer la publicité incitative pour ne garder que la publicité informative.

IMMIGRATION — INTÉGRATION

A. G. : Dans notre conversation sur les rapports entre les ethnies, vous exposez beaucoup d'idées touchant à l'immigration et à l'intégration. Il serait intéressant d'approfondir la question.

M. L. : Je regrette beaucoup que, dans notre pays, ce débat capital reste sur le plan moral (éthique), ou sur le plan culturel. On refuse de redescendre sur terre pour examiner les conséquences concrètes de l'arrivée massive d'individus appartenant à différentes ethnies.

Pendant que nos dirigeants dissertent sur le « sexe des anges », nos difficultés matérielles s'amoncellent, et risquent de n'être jamais résolues, d'emporter la nation.

A. G. : Quelles sont les différentes causes des transferts de population ?

M. L. : On considère la France comme une terre d'accueil, et l'on dit que cela lui a bien réussi.

Les personnes qui l'assurent savent pourtant que l'expression est impropre. Elles devraient dire que notre pays fut une terre d'invasions militaires réussies, où les vainqueurs s'établirent.

Si cette prétendue « immigration » fut une bonne chose, pourquoi n'avoir pas accueilli les Allemands de 70, 14 et 39 avec joie ?

La véritable immigration date de ce siècle.

Les Italiens en surnombre cherchèrent d'abord du travail. Puis, les Polonais remplacèrent les mineurs tombés pendant la Première Guerre mondiale.

Il fallait alors du courage pour émigrer en France ou aux États-Unis, car les États n'aidaient en rien les nouveaux venus.

Depuis la fin de la seconde guerre mondiale, l'immigration en France a changé d'aspect. Ce ne sont plus des populations européennes — possédant la même religion, et une civilisation voisine de la nôtre — qui arrivent. Le niveau de vie de leur pays d'origine est si bas que les aides financières de l'État français sont plus importantes que leurs salaires « indigènes ».

Si nous avions calqué notre législation sur la Suisse, nous aurions limité notre immigration :

1) Tout étranger ne possédant pas de fortune personnelle ne peut séjourner s'il n'a pas d'emploi.

2) Quels que soient son mérite et sa fortune, il ne peut se faire naturaliser.

3) Seuls les Suisses peuvent acheter un terrain ou une maison dans leur pays.

La Suisse préserve ainsi son identité. Pourtant, c'est un modèle de démocratie.

Contrairement aux idées reçues, l'argent n'y est pas tout puissant.

Nos gouvernements nous assurent, depuis dix ans, de l'arrêt de l'immigration. Pourtant, aucun d'eux n'a pris les mesures nécessaires pour endiguer ce flux perpétuel.

Alors, pour camoufler la réalité, on naturalise à tour de bras. Cela permet d'accroître statistiquement la population française, et de stabiliser le chiffre des étrangers. En outre, les tenants de l'idéologie culturelle prétendent :

« plus il y aura d'étrangers de nationalités différentes, plus leur apport enrichira la culture française ».

Je doute de la valeur de cet argument.

A La Réunion, où le brassage des races est important, le niveau culturel est faible, la langue française abâtardie. Autrefois, en Europe, certaines régions très homogènes ethniquement, et très fermées aux influences extérieures, ont donné un grand nombre d'artistes et d'inventeurs remarquables.

Certains chrétiens ou laïques ne veulent voir que l'aspect moral de ces questions. Ils nous persuadent « d'aller vers l'autre », l'exclusion restant le pire des crimes. Sincères, ils payent de leur personne. Beaucoup, hélas, ne sont que des « conseilleurs ».

A tous ces gens, je soumets le dilemme suivant :

Un homme frappe à votre porte. « Vous avez une chambre inoccupée, une bonne situation. Je vous demande de loger chez vous, de manger à votre table, car je suis démuni de tout. »

Que répondrez-vous ?

Pour quelques jours — oui. Mais, pour des mois ou des années ?

A la base du rejet des immigrés, il y a d'abord la mésentente provoquée par la différence des mentalités.

L'idéologie culturelle inverse ses théories sur le problème des conflits dans les ménages, et celui de la mésentente dans la population.

Sans parler de l'époque où le divorce était interdit, il fut un temps où l'on invitait fermement les époux à se supporter, à ne pas s'exclure. On envoyait des conseillers matrimoniaux pour analyser les torts réciproques et susciter la réconciliation.

Or, les divorces s'accélèrent. L'exclusion de l'un par l'autre s'obtient sans problème, et s'érige presque en droit.

Et tous de dire : « Dame, c'est normal. Si votre mari (ou votre femme) ne vous aime plus, laissez-le (la) refaire sa vie et disparaissez. »

L'idéal reste, dans ce cas douloureux, la séparation par consentement mutuel.

Concernant la mésentente ethnique, la position de l'idéologie culturelle est inverse : autrefois, pour elle, les conflits prenaient des formes violentes, et elle se réjouit de leur disparition (moi aussi, d'ailleurs !).

La mésentente passionnée ayant été mise en sommeil, nos idéologues veulent pousser plus loin, pour obliger des ethnies dissemblables à cohabiter. Ne pas aimer la différence de l'autre, voilà le pire pêché mortel, le racisme !

La majorité de la population s'oblige donc à vivre avec des gens qu'elle ne supporte pas. Est-ce leur faute, à ces gens, s'ils sont différents ? Aussi, vit-elle avec la terreur de passer pour raciste.

Naguère encore, les prêtres menaçaient de l'enfer ceux dont la pensée n'était pas conforme à leur doctrine. L'idéologie culturelle a pris le relais.

Excluez votre conjoint parce que vous ne vous entendez pas avec lui, personne ne vous en blâmera. Excluez votre voisin pour les mêmes raisons, et le ciel vous tombera sur la tête.

Quoi qu'il arrive, je continuerai à dire ce que je pense, *dans l'intérêt de tous*, car on ne construit rien sur l'erreur. Par contre, je reste ouvert à toute discussion, et prêt à reconnaître mes torts.

Quittons les plans moral et culturel, qui semblent seuls intéresser nos élites, et descendons sur le plan économique.

Notre civilisation technologique utilise de moins en moins de manœuvres, au profit d'ouvriers qualifiés, et d'ingénieurs. Leurs travaux demandent de la rapidité, de l'exactitude, du soin, et une certaine forme d'intelligence.

La forte immigration d'Arabes nord-Africains ou de Noirs sub-sahariens ne correspond pas, dans l'ensemble, aux emplois du futur.

Naturalisée ou pas, cette main-d'œuvre est réduite au chômage. L'hypothétique intégration devient encore plus aléatoire.

Toute ethnie non assimilée, réduite à la pauvreté, recherche dans les activités délictueuses des profits complémentaires. Et, là encore les chiffres le prouvent, l'apport économique de cette immigration est négatif.

Le regroupement familial, surtout incontrôlable chez les Africains polygames, a nécessité l'ouverture de nouvelles écoles, et la création de nouveaux postes d'enseignants. Or, l'éducation d'enfants dont la nature est fort différente de la nôtre présente des difficultés.

Dans le chapitre des dépenses de la nation, l'immigration est un gouffre. Mais, chut ! c'est un sujet tabou...

Le métissage humain n'est jamais bon. Il introduit des facteurs de mésentente par des différences de mentalité, c'est-à-dire de patrimoine génétique.

Je l'ai déjà dit, de vrais jumeaux avec des patrimoines génétiques identiques s'entendent bien. Si par hasard ils ont tout deux très mauvais caractère, ils peuvent se disputer, mais il ne peuvent se passer l'un de l'autre. Leur entente est donc très stable.

Les invasions firent de la France pendant longtemps le premier pays d'Europe, et furent donc la conséquence de conquêtes militaires.

Les Romains ou les Germains faisaient preuve à la fois d'une plus grande combativité et d'une meilleure technologie militaire.

Ces mouvements de population apportèrent des hommes de valeur selon les critères que nous utilisions : créatifs, intelligents, travailleurs, énergiques. En outre ces peuples avaient des civilisations voisines de la nôtre.

Cependant cela introduit des facteurs de mésententes avec soit l'ethnie de souche, soit d'autres ethnies victorieuses.

Les guerres de religion entre le nord Germain et le sud Latin démontrèrent les inconvénients de la cohabitation de peuples ayant des mentalités légèrement différentes.

A côté de ces immigrations de conquêtes, nous devons noter les immigrations organisées pour obtenir de la main-d'œuvre (Polonais dans le Nord de la France) et les immigrations individuelles.

Dans celles-ci les motivations sont fort différentes.

Ainsi les émigrations d'Européens vers l'Asie, l'Afrique et l'Amérique n'attirèrent pendant très longtemps que des individus énergiques, travailleurs, à l'esprit « pionnier ».

Actuellement il se produit d'Amérique du Sud et du Mexique vers les U.S.A. des mouvements de populations formées d'individus plus faits pour les travaux simples. Ils recherchent des salaires plus élevés.

D'Afrique noire et d'Afrique du Nord vers l'Europe — et surtout la France, l'expatriation a encore une autre motivation.

Dans son ensemble, cette immigration individuelle fuit la misère, et pense trouver en France des allocations minimum extrêmement supérieures aux salaires qu'elle pourrait obtenir en travaillant chez elle.

194

Le regroupement familial, et les allocations familiales incitent les imigrés à faire beaucoup d'enfants.

Le coût d'un chômeur ayant beaucoup d'enfants scolarisés est considérable.

Que peut-on attendre de ces immigrés ?

Sur le plan économique, pas grand-chose, car ils appartiennent aux types de travailleurs facilement remplacés par des robots. De toutes façons, par rapport aux Européens de souche, ils ne sont pas meilleurs professionnellement.

Dans leur grande majorité ils consomment et ne produisent pas. L'effet économique est négatif.

Encore une fois, l'expérience d'immigration massive et d'intégration n'est pas nouvelle. Les États-Unis l'ont faite, et en vivent chaque jour les difficultés.

Certes tous les Américains ont accepté à peu près le même style de vie et la même culture abstraite.

Par contre il n'y a pas eu intégration de la nature profonde. Les immigrés se sont regroupés par rapport à leur ethnie.

Je voudrais citer un reportage du très modéré *Ouest-France* (qui a le plus fort tirage en France) de janvier 1993 sur la ville U.S. de Détroit.

« On vous recommande de ne pas vous hasarder seul au-delà des lumières de votre hôtel. »

« En s'éloignant un peu en voiture, on comprend vite ici pourquoi les portières des Américaines se ferment automatiquement dès qu'on roule. La réalité "destroy" de Détroit saute alors brutalement aux yeux. Au détour d'une rue, vous tombez sur une zone de cauchemar, des moignons d'immeubles à demi-écroulés, envahis par la végétation et les débris de toute sorte. Comme un quartier abondonné après un bombardement. Là, les passants sont noirs (65 % de la population de Détroit)... »

J'arrête ici cette description.

Le lecteur pourra penser : leur extrême pauvreté force ces Noirs à vivre dans des quatiers sales et délabrés.

Les États-Unis regorgent de richesses naturelles, infiniment plus nombreuses que celles de la Suisse — au sol très pauvre.

Or, il n'y a pas de quartiers délabrés à Zurich ou à Genève, ni dans aucune ville. Un Suisse, aussi pauvre soit-il, voudra d'abord que sa petite maison, même si c'est une chaumière, soit propre et bien tenue.

Il voudra que son environnement reste très net, et s'entendra avec ses voisins pour éviter de jeter des débris, des déchets, des immondices dans l'entourage. Tout cela sera « naturellement » organisé.

Installé dans les mêmes maisons, avec le même revenu, un Noir ne procédera à aucun entretien, jettera ses ordures n'importe où, et refusera toute entente pour nettoyer les chemins et l'environnement.

Toutes ces choses l'indiffèrent.

A. G. : Est-ce une critique des Noirs ?

M. L. : Non. C'est une constatation de l'impossible adaptation d'une ethnie à une civilisation qu'elle n'a pas créée.

Personnellement, je suis choqué lorsque je vois des personnes jeter des papiers, des emballages dans la rue. D'instinct, j'aime un environnement très propre. Pour des gens comme moi, certains pays européens semblent d'une incroyable saleté. Est-ce parce qu'ils sont pauvres, ou parce que la population ne fait aucun effort ?

Il est donc souhaitable, pour le bonheur de tous, que chaque ethnie vive dans son pays d'origine.

Les générations futures jugeront inconcevables ces immigrations massives, source d'un nombre incalculable de difficultés.

Pourquoi n'a-t-on jamais posé clairement le problème, n'a-t-on pas organisé un débat loyal et un référendum pour demander l'opinion de la population ?

Personne n'aborde ces questions, importantes pour l'avenir de notre pays.

Pourquoi ?

Les hommes politiques ne sont pas habitués à prendre de grandes décisions concrètes.

L'effet d'annonce, oui. La petite phrase au cours d'un débat, oui.

La plupart ont condamné maintes fois l'immigration et tous se sont montrés incapables de l'arrêter.

Ça n'est pas de leur faute, l'intendance n'a pas suivi, disent-ils.

En outre, l'idéologie culturelle a faussé le débat. Elle assure que l'exclusion est une attitude abominable. C'est vrai, mais cela n'a pas de rapport avec la vraie question.

Ceux qui ont de la sympathie pour les immigrés doivent les persuader qu'ils seront plus heureux au milieu de leur communauté d'origine.

Créer dans des territoires géographiquement définis des entités ethniques homogènes et autonomes, voilà probablement la meilleure solution pour la perpétuation de la société humaine dans la paix.

La séparation des ethnies par consentement mutuel, pour les regrouper dans leurs pays d'origine est certainement un travail de longue haleine.

Travail passionnant, auquel tous peuvent participer.

Travail qui demande autant de cœur que d'intelligence.

Problèmes économiques

A. G. : Pouvez-vous m'expliquer l'économie politique actuelle, notamment sous l'angle de l'Ordre Naturel ?

M. L. : Tout végétal, tout animal recherche continuellement de la nourriture.

La consommation est leur principale activité.

La quantité globale de nourriture pour chaque espèce est limitée, ce qui restreint le nombre d'individus.

Cette nourriture se renouvelle. Elle ne s'épuise pas.

La stabilité est le fondement de l'économie naturelle.

Curieusement, on a appelé « société de consommation » l'organisation actuelle de notre société.

En réalité, toutes les sociétés se sont organisées, sur le plan économique, autour de la consommation.

Ce qui caractérise notre époque c'est la surproduction des biens de consommation, à la suite de l'augmentation considérable des inventions améliorant la productivité. Cela a pour conséquence un incroyable et gigantesque gaspillage.

Il ne faut pas s'en étonner. Observons par exemple, dans la nature, un groupe de sansonnets. Autant cet oiseau, l'hiver, mange sans manquer une miette, tout ce qui peut ressembler à de la nourriture, autant en été, sur un cerisier, il goûte à cent fruits sans en manger un seul dans une ivresse qui désespère le propriétaire voyant disparaître tout espoir de récolte.

Nos sociétés européennes ont été, jusqu'à une période récente, supérieurement économes. La demande excédait l'offre (comme cela est presque toujours le cas dans la nature).

Dans tous nos systèmes économiques, il y a l'offre (la production) et la demande (la consommation).

La différence entre l'économie dirigée et l'économie de marché doit être expliquée.

Dans le premier cas, l'organisme directeur évalue les besoins des consommateurs, et décide d'un plan de production pour satisfaire ces besoins.

Le consommateur se voit, donc, plus ou moins imposer ce qu'il achètera.

Plus cette consommation sera dirigée et la distribution bien organisée, plus elle correspondra à la production prévue par le plan.

Dans le second cas — économie de marché — le consommateur choisit librement entre ce qui lui est proposé, et les producteurs doivent continuellement s'adapter à la demande.

Le marché leur impose de rester à la pointe de la productivité — meilleur rapport qualité-prix — pour satisfaire les goûts de la clientèle. C'est la loi de l'offre et de la demande qui fixe les prix.

Toutefois, de nos jours, il existe des systèmes mixtes.

Par exemple, en France, le prix de certains produits agricoles est décidé par l'État. Au point de vue de la consommation, l'économie de marché ne décide plus du prix.

Par contre la production reste libre, et le producteur se trouve en compétition avec ses collègues. Plus il aura de rendement, plus il gagnera, car l'État s'engage à tout lui acheter. C'est un système pervers qui incite à toujours produire plus. L'État devient alors propriétaire de stocks énormes dont il ne sait que faire.

Autrefois, l'économie de marché était la règle. D'autant que dans la presque totalité de la population, chaque famille produisait ce qu'elle consommait.

Chacun était donc libre de sa consommation et s'efforçait de produire, parfois d'acheter, ce qui correspondait à son libre choix.

Pour abaisser les coûts, les productions devinrent spécialisées. Les échanges se firent à l'intérieur du village entre les artisans et les paysans.

Ces échanges se faisaient sans intermédiaire.

Le commerce itinérant apparut pour proposer des produits de l'artisanat ou de l'agriculture qui n'existaient pas dans ce village.

C'est ainsi qu'on proposa dans le nord de la France des vins produits dans le sud.

Ce premier système d'échanges commença à fragiliser l'économie en incitant les régions à se spécialiser, à produire ce qui pouvait bien se vendre, même à de grandes distances.

Par exemple, on créa de grandes régions viticoles dans le sud de la France. Il a suffit d'un puceron, le phylloxéra, pour ruiner des régions entières qui avaient abandonné la polyculture.

Une seconde phase d'échanges naquit avec l'amélioration des transports. Les commerçants ne se contentèrent plus de présenter dans leurs points de vente les produits du terrain, mais aussi ceux dont le prix de revient était moins élevé que celui de la production locale.

A une certaine époque, les producteurs de fraises du

Pas-de-Calais se moquaient éperdument de connaître le coût de production, moitié moindre, de la Dordogne. Il n'existait aucun moyen de transport rapide et bon marché pour les acheminer dans leur département. De nos jours, il en est autrement, et les producteurs de fraises du Pas-de-Calais ont dû arrêter leur production.

Ainsi cette mondialisation des échanges dans l'économie de marché, si elle satisfait le consommateur — très content, par exemple, d'acheter des pommes d'Argentine moins chères que des pommes de France — a pour les producteurs des conséquences parfois catastrophiques.

Si un jour on s'aperçoit qu'il est vraiment plus avantageux de cultiver des pommes en Chine et de les importer en Europe, plutôt que de les produire sur place, des milliers d'arboriculteurs fruitiers n'auront plus qu'à arracher leurs arbres et chercher à faire autre chose.

Certes, on peut imaginer que l'État dispose d'un fonds spécial de reconversion pour toutes les victimes du « progrès ».

Cependant, à y regarder de près, si on met en balance les petits avantages économiques procurés par l'achat de pommes chinoises, et les énormes perturbations, coûteuses sur le plan financier et révoltantes sur le plan humain, ce n'est pas une opération globalement bénéfique, même si elle l'est pour quelques sociétés spécialisées dans le commerce international.

Quant à l'économie dirigée, elle a été injustement condamnée sur le seul exemple de celles qui ont échoué.

Une entreprise industrielle, avec des capitaux d'un côté, un patron, des cadres, des contremaîtres et des ouvriers de l'autre, repose-t-elle sur un mauvais principe, parce que chaque année un très grand nombre d'entreprises ainsi structurées font faillite ?

La différence entre une entreprise bien gérée et une autre qui fait faillite, dans le même secteur commercial, avec des moyens de production similaires, repose sur le patron, uniquement. Pour l'économie dirigée il en est de même. *Le patron fait la différence.*

Ainsi, l'économie de l'U.R.S.S., après la mort de Staline, fut dirigée par une Nomenklatura diplômée et cooptée, avant tout soucieuse d'avoir des avantages, surtout en nature. Ces derniers permettent de maintenir la fiction d'une certaine égalité des salaires avec, en réalité, d'énormes différences de niveau de vie.

L'absence d'hommes d'action dans cette Nomenklatura poussa l'économie soviétique vers la ruine.

L'économie dirigée de l'Allemagne, de 1933 à 1939, se montra d'une extraordinaire efficacité, sans commune mesure avec celle de l'économie libérale de la Grande-Bretagne, ou avec celle, à moitié dirigée, de la France.

Après la fin du communisme en U.R.S.S. et son passage à l'économie de marché (de même que dans l'Allemagne de l'Est), chacun s'attendait à voir ces pays se redresser économiquement comme l'avait fait la R.F.A. après la guerre.

Cela ne se produisit pas car, si en R.F.A. les structures humaines avaient été sélectionnées par la nécessaire efficacité, celles de l'U.R.S.S. et de la R.D.A. n'étaient faites que de fonctionnaires soucieux avant tout de justifier leurs maigres résultats et de préserver leurs privilèges. Éliminer ces anciennes structures demande beaucoup de temps.

L'économie dirigée a des résultats très variables suivant l'efficacité des hommes qui la mènent.

L'économie de marché provoque obligatoirement une compétition entre les individus, entre les entreprises et entre les pays.

Dans la nature, il existe une compétition entre les individus. C'est même une des bases de l'Ordre Naturel, qui élimine les moins compétitifs, au patrimoine génétique moins bien adapté aux conditions de vie imposées à l'espèce.

En restant strictement dans l'économie on peut examiner ces trois catégories :

Compétition entre les individus

Cette compétition favorise les plus aptes à chaque fonction économique. Elle se faisait autrefois sur le « terrain », par l'efficacité dans le travail et non par le diplôme — sélection inadéquate.

Le diplôme est une invention de certains intellectuels pour éliminer des hommes ayant plus le sens pratique, le savoir-faire que le don de manier les idées. Plus le don de trouver des solutions par eux-mêmes que d'appliquer celles du passé dans des situations à peu près semblables.

Ces hommes-là sont toujours de redoutables concurrents pour ces intellectuels. Dans les périodes troublées, où les structures s'effondrent, on les voit apparaître et se montrer infiniment plus efficaces qu'eux.

La compétition entre les individus est donc bonne, si on respecte la seule sélection par l'efficacité dans l'entreprise, comme on juge le maçon au pied du mur.

Compétition entre les entreprises

L'État décide des règles de cette compétition — qui ne doit avantager ou désavantager personne. Ces règles permettent la progression des entités bien gérées et la disparition de celles qui sont mal conduites.

L'État arbitre, contrôle la stricte application des règles.

Or, en France, l'État ne se contente pas de contrôler,

il intervient continuellement par l'entremise de différents services administratifs ou d'élus.

Ces interventions politiques avantagent considérablement certaines entreprises.

Le principe même de la compétition est violé.

L'égalité des chances n'est pas respectée.

Qu'une société japonaise vienne s'installer en France et donc créer des emplois, elle trouvera tout dans une région dont les autorités politiques et administratives recherchent un succès dans la lutte contre le chômage.

Terrain gratuit, bâtiments gratuits, taxe professionnelle supprimée pendant 5 ans, prime d'embauche (dix mille francs par emploi), impôt sur les bénéfices retardés, etc.

En outre, équipement routier gratuit, prix spéciaux d'E.D.F., etc.

Or, ces avantages considérables ne sont pas faits après une étude de marché indiquant un besoin à satisfaire ou — au contraire — si la nouvelle production se fera au détriment de celles déjà existantes.

La région ne s'occupe que d'elle. Si des entreprises similaires sont dans une autre région, le dommage qu'elle créera ailleurs lui importe peu.

Pendant la vie de l'entreprise, s'offre à elle une quantité incroyable d'aides et de primes favorisant les malins, mais nullement son bon développement.

Un certain type de patrons se spécialise dans cette recherche d'avantages. On les appelle des « chasseurs de primes ».

Exemple d'aide stupide. Vous voulez aller au Brésil pour organiser la vente de vos produits (en réalité, vous promener, faire du tourisme).

L'administration vous rembourse tous vos frais, car la France veut exporter.

Naturellement dans le cas de tourisme vous direz à l'administration : travail, étude de marché.

Cependant, dans un certain cas on vous demandera de rembourser ce que l'administration vous a versé pour vos frais de voyage.

A. G. : Si vous n'arrivez à aucun résultat et que vous soyez soupçonné de tourisme ?

M. L. : Pas du tout. C'est le contraire. Si vous réussissez à vendre au Brésil, vous devrez tout restituer à l'Administration !

Les stupidités de ce genre sont légion.

Dans bien d'autres cas, on vous finance quand vous échouez, on vous impose quand vous réussissez.

L'État fait donc de la sélection à rebours.

Cette sélection des meilleures entreprises par la compétitivité — principe de base du libéralisme— est bafouée par ceux-là mêmes qui se disent partisans de l'économie de marché.

En effet, la sélection des meilleurs signifie la disparition des moins bons.

Or, l'État, tous partis politiques confondus, s'est ingénié à créer une législation sur les entreprises en difficulté — qui les aide d'une manière outrancière, même s'il est notoire que le patron est plus un affairiste qu'un gestionnaire.

Dans les écoles de gestion qui forment théoriquement les futurs patrons, on explique que : « le dépôt de bilan est un acte de gestion extrêmement profitable s'il est bien conduit ».

A. G. : Bien mener un dépôt de bilan, c'est quoi ?

M. L. : Cela consiste d'abord à tromper habilement les fournisseurs, à les mettre en confiance pour qu'ils livrent le maximum de machines, de matières premières, de produits, etc., avec une date de paiement calculée pour qu'il s'effectue quelques jours après le dépôt de bilan.

Dans la pratique, l'activité de l'entreprise se poursuit avec gel des comptes fournisseurs. Ceux-ci seront payés partiellement beaucoup plus tard. Il s'agit donc d'un vol légal à leur détriment.

Tout ce qui est dû à l'État étant payé en priorité (on se demande pourquoi puisque l'État ne risque pas d'être mis en difficulté par une dette non réglée) il ne reste plus grand-chose pour les fournisseurs.

Dans la pratique, ils reçoivent en moyenne 5 % de ce qu'on leur doit. Pour beaucoup c'est dramatique.

A. G. : N'existe-t-il pas la clause de réserve de propriété qui permet au fournisseur de reprendre sa marchandise ?

M. L. : En Allemagne, oui, mais pas en France : il faut préserver tout ce qui permettra à l'entreprise de continuer.

De plus, le fournisseur non payé, cas souvent dramatique, est obligé par la loi de continuer à livrer le client, toujours pour lui permettre de survivre.

L'entreprise va recevoir d'autres avantages. Ainsi elle peut licencier tout son personnel sans préavis et sans indemnité.

Ensuite elle réembauche qui elle veut avec une prime importante par emploi, payée par l'État.

Ce n'est pas tout. Si le patron sait bien jouer du chantage au chômage, il obtiendra du Conseil Général une bonne subvention, et d'importantes dérogations fiscales.

Cette série d'avantages, dont le total est considérable, donne à l'entreprise bénéficiaire un atout décisif sur ses concurrentes — dont le patron s'est battu pour honorer ses engagements.

Quand la malhonnêteté est récompensée et l'honnêteté punie, il se produit une sorte de gangrène des esprits.

Chacun se dit qu'il est bien bête de se battre pour l'honneur, quand des montages juridico-financiers permettent le « vol légal » des fournisseurs et de la collectivité.

A. G. : Les faillites sont-elles à la fois malhonnêtes, et le résultat d'une mauvaise gestion ?

M. L. : Absolument pas. Il y a d'abord ce qu'on appelait dans la marine « fortune de mer », c'est-à-dire un bouleversement du marché auquel on ne peut faire face.

Et fréquemment des petites et moyennes entreprises sont emportées par la défaillance d'un gros client qui dépose son bilan.

A. G. : Mais n'y a-t-il pas faute du patron pour ne pas s'être prémuni contre des défaillances, par exemple, avec une assurance ?

M. L. : Les assureurs qui couvrent de tels risques ne s'intéressent pas aux petites et moyennes entreprises. Ils ne vous assurent pas contre les défaillances de tous vos clients, mais seulement contre celles des clients qu'ils sélectionnent, c'est-à-dire ceux qui sont vraiment sûrs.

Dès lors l'assurance ne devient plus qu'une dépense inutile.

A. G. : En France la politique nationale et régionale est donc contraire à la progression des entreprises saines, bien gérées, qui font la solidité de l'économie du pays. Elle favorise au contraire les affairistes, les patrons douteux sur le plan de l'honnêteté, et incapables sur le plan de la gestion.

M. L. : Il existe un formidable transfert d'argent des bonnes entreprises vers les mauvaises.

Savez-vous qu'en France les trois quarts des entreprises ne payent pas d'impôt sur les bénéfices ? Leurs patrons se débrouillent pour transformer en salaires et en frais de représentation tout le bénéfice.

Ce genre de gestion, totalement condamnable, est parfaitement admis par l'administration.

Mais je reviendrai, le moment venu, sur cette importante question de la gestion des entreprises.

A. G. : Pensez-vous que les petites, les moyennes et les grandes entreprises ont les mêmes problèmes ?

M. L. : Faisons bien la différence entre les entreprises qui appartiennent majoritairement à leur patron, et celles qui appartiennent à des financiers.

Les patrons-propriétaires sont des hommes de terrain. Ils connaissent parfaitement les problèmes techniques et commerciaux de leur entreprise, spécifiques de cette catégorie de métier.

Ils peuvent, à la rigueur, diriger une entreprise similaire, mais pas une entreprise différente.

Ne demandez pas à un patron qui a très bien réussi dans le jouet plastique de diriger une entreprise d'articles en porcelaine. Il en serait incapable, sauf pour ce qui est commun à toutes les entreprises : la gestion du personnel, la comptabilité, la finance.

Cependant il considérerait ces questions comme mineures. Pour lui, c'est la connaissance approfondie du marché, la création d'articles plaisant à la clientèle et leur fabrication avec le meilleur rapport qualité/prix, qui importent.

S'il a la bonne maîtrise de ces questions et l'art de sentir le marché, il considérera que les autres questions : gestion du personnel, comptabilité et finance peuvent être confiées à des professionnels ayant un métier suffisant.

C'est important mais pas décisif.

Par contre, chose curieuse, les patrons des grandes entreprises appartenant à des groupes financiers, ne sont presque jamais des hommes de terrain ayant fait leur carrière dans l'entreprise.

Ils sont inter-changeables.

Ils ne connaissent ni le marché ni la technique.

Ils savent parfaitement gérer le personnel (embauche et licenciement), la comptabilité et la gestion financière.

Ils connaissent la gestion d'école qui peut s'appliquer à n'importe quelle entreprise ; celle-ci consiste principalement à établir des objectifs et les budgets correspondants.

Cette merveilleuse mécanique demande un travail considérable et ne sert pas beaucoup, sinon à constater que l'avenir n'est pas toujours la suite du passé — comme on l'apprend à l'école.

Le meilleur patron, c'est celui qui sent le mieux comment va évoluer le marché et comment la clientèle accueillera ses articles.

Un patron qui vient d'un autre secteur, même s'il sort de Harvard, ignorera complètement le marché de son entreprise.

Je connais le grand slogan : il faut déléguer.

Mais le vrai patron ne délègue que si, au cours des ans, il a pu constater, contrôler que son collaborateur a effectivement la compétence, les capacités d'accomplir correctement la mission confiée — et dont il contrôlera l'exécution.

Arriver dans une entreprise encore inconnue et déléguer à des cadres sur leur bonne mine ou suivant leurs diplômes, ça n'est pas sérieux.

Il est plaisant de lire les revues économiques pour noter les mouvements des cadres supérieurs.

Vous remarquerez qu'on ne cite jamais leur réussite dans les entreprises où ils ont été mais leurs titres, même s'ils n'ont aucun rapport avec leur fonction.

Dans la dernière rubrique d'une revue, je note : Mme X — E.N.A. — Docteur en géographie devient adjointe d'un directeur financier (quel rapport entre la géographie et la finance ?).

Mlle Y : Polytechnique, Télécoms, Harvard, Institut de hautes finances... n'en jetez plus.

J'ouvre mon dictionnaire à Masséna, je lis : orphelin, s'engagea comme soldat, vainqueur à Rivoli, Zurich, Essling, etc.

En ce temps-là, un général ne se parait pas de diplômes, mais de victoires.

Ces cadres devraient comprendre : les études sont faites pour aider à obtenir des victoires sur le terrain, et non des diplômes — simples hochets de la vanité.

A. G. : Maintenant vous allez parler de la compétition entre les pays, c'est-à-dire en fait entre les entreprises sur le plan mondial.

M. L. : Permettez-moi, tout d'abord, de faire un retour en arrière pour essayer d'imaginer la compétition, autrefois, entre les entreprises artisanales.

La compétition entre artisans de la même spécialité restait modérée et loyale. Chacun cherchait à bien faire son travail pour nourrir sa famille.

Personne ne songeait à couler le concurrent, prendre sa clientèle et devenir deux fois plus gros et deux fois plus riche. La plus-value n'avait aucun sens car l'achat et la revente d'une entreprise artisanale n'existait pas.

S'il y avait compétition, c'était plus une question de fierté, d'honneur, d'amour-propre que d'argent. **Réaliser « un chef-d'œuvre », voilà la véritable ambition de ceux qui se sentaient capables de surpasser leurs collègues.**

Cette compétition paisible, pour l'honneur, rappelle ce qu'elle fut, naguère, dans le domaine des sports, lorsque le baron de Coubertin, remettant en honneur les jeux Olympiques disait : « L'important, c'est de participer. »

Ces fières et nobles paroles sont toujours mises en avant pour cacher aujourd'hui une immense foire commerciale.

Il serait plus honnête d'inscrire, à l'intention de tous les participants : « L'important, c'est d'être médiatisé et de gagner beaucoup d'argent. »

Revenons à notre époque, à nos entreprises industrielles et à la compétition entre pays. Le gagnant c'est celui dont les entreprises se montrent plus performantes.

Le Japon, petit pays, vaincu de la dernière guerre, est considéré comme une grande nation et ses représentants sont reçus avec déférence.

Cela est dû au triomphe des entreprises japonaises dans beaucoup de secteurs, et non au rayonnement culturel du Japon.

La force de la production, aussi bien agricole qu'industrielle est la vraie force d'un pays. Non celle des banques, des assurances et des services d'une manière générale.

Cette compétition internationale ne serait acceptable que si toutes les entreprises du monde subissaient les mêmes astreintes, obéissaient aux mêmes règles.

Temps de travail, coût horaire, charges sociales, impôts, sont des facteurs décisifs. Si on ne lutte pas à armes égales, on est battu sans avoir démérité.

Il est inadmissible que des entreprises européennes délocalisent leur fabrication pour des questions de coût et licencient le personnel.

Si dans le monde entier, dans chaque secteur industriel, on est obligé de se mettre au niveau du pays le plus compétitif, alors nous allons vers un désordre généralisé, dont nous n'aurons pas la maîtrise.

Je l'ai déjà dit, il faut refuser la mondialisation et la libération totale des échanges.

A. G. : En résumé, vous refusez l'intervention de l'État représenté par ses hommes politiques, son administration dans la marche des entreprises.

Dans celle-ci, vous préférez la promotion interne au bénéfice de la réussite professionnelle.

Vous préconisez une compétition de qualité, qui supprime tous les procédés malhonnêtes pour circonvenir, tromper, abuser le client.

Vous êtes pour un retour à l'économie régionale, qui incite à consommer de plus en plus la production de la région, même si cela abaisse le niveau de vie, et restreint le nombre d'articles offerts à la clientèle.

M. L. : L'élévation du niveau de vie, ça veut dire quoi ? C'est un changement, c'est tout.

Depuis Molière, notre niveau de vie a peut-être été

multiplié par mille. Sommes-nous mille fois plus heureux que les personnages des comédies de Molière ?

D'autre part suis-je plus heureux d'avoir à choisir entre trente modèles de téléviseurs plutôt qu'entre cinq ?

Plutôt que de baisse du niveau de vie — inéluctable — si l'on veut éviter les nombreuses catastrophes qui se profilent à l'horizon, il vaut mieux parler de changement du style de vie.

A. G. : Revenir en arrière est utopique, même si certains aspects de la vie d'autrefois nous font envie.

Soit, les paysans du temps de la traction animale étaient plus heureux qu'aujourd'hui, cela semble certain. Mais est-il concevable de revenir à ce style de vie ?

M. L. : En effet, ce serait très long et difficile. Mais vouloir, c'est pouvoir. D'autre part, si nous ne réagissons pas, les gouvernements du monde entier perdront la maîtrise des événements. L'interdépendance des états ne cessant de s'accroître, un seul centre anarchique généralisera le désordre.

A. G. : Vous considérez le « progrès » comme un mal. J'aimerais que vous m'en parliez un peu plus longuement, mais il est préférable d'en finir avec les problèmes économiques.

Ne pourriez-vous pas revenir sur le fonctionnement des grandes entreprises ?

Vous condamnez la nomination de patrons n'ayant aucune compétence technique, et commerciale spécifique de l'entreprise qu'ils doivent diriger, et dont les connaissances sont financières, administratives, comptables.

Comment choisir les dirigeants ?

M. L. : Ces grandes entreprises, ou ces holdings appartiennent à des financiers pour lesquels gagner de l'argent en produisant et en vendant semble assez besogneux.

Seule les intéresse la plus-value que peut procurer une entreprise. Ils ne rêvent que d'opérations financières : achat, vente, fusion, O.P.A.

Situons la ligne de partage entre un industriel amoureux de son métier et un financier : le premier achètera un tableau pour son plaisir esthétique et le second pour la plus-value qu'il escompte obtenir.

Pour valoriser leur entreprise, ces patrons financiers comptent beaucoup sur les aides publiques et fréquentent assidûment les politiciens locaux et nationaux.

Malheureusement, des entreprises gérées ainsi résistent mal à la concurrence menée par de vrais industriels.

Une entreprise japonaise fabriquant des automobiles en Grande-Bretagne, pays dont toutes les usines de ce secteur ont fait faillite, réussit à faire trembler le n° 1 français.

Ce dernier ferait mieux de gémir sur ses propres erreurs de stratégie commerciale.

Cette idée détestable qu'une entreprise est avant tout une marchandise pourvoyeuse de plus-value casse le moral de tous ceux qui la font vivre par leur travail.

Je trouve scandaleux, qu'on appelle industriel un homme qui en fait le commerce.

Suis-je un agriculteur si j'achète des fermes pour les revendre ?

Appelons ces hommes des affairistes et « ne mélangeons pas les torchons avec les serviettes ».

Les hommes qui créent des richesses, des biens consommables, et qui les offrent à la communauté constituent le cœur des entreprises.

Ils ne s'enrichissent pas, et ne sont pas les vedettes des médias, mais c'est à eux que doit revenir l'estime du pays.

Les affairistes, les spéculateurs ne créent aucune richesse. Par contre, ils s'enrichissent parfois très vite, et dans des proportions considérables.

Ce ne peut être qu'au détriment des vrais créatures de richesse travaillant dans les entreprises agricoles, industrielles, commerciales.

A. G. : Quelles sont, d'après vous, les causes des grandes crises économiques de 1929 et 1990 ?

M. L. : La consommation dans nos sociétés occidentales ne correspond plus à un besoin naturel, donc stable.

La spéculation incite à l'achat de biens non pour en jouir ou les utiliser, mais pour les revendre et réaliser une plus-value importante. D'autre part, la publicité suscite des achats de vanité pour suivre la mode et rester à la pointe du progrès.

Le crédit facilite ces achats, effectués dans un climat d'euphorie.

Ainsi se crée une consommation artificielle, culturelle, donc fragile, très différente de la consommation de nécessité d'autrefois.

Dans un troupeau, la fuite d'un seul peut provoquer une panique générale irraisonnée.

De même, l'euphorie générale de la prospérité peut retomber comme un soufflé. Dès lors, la masse excessive des biens produits pour répondre à la demande d'achats spéculatifs se trouve brusquement à la vente sans besoin réel.

La tendance à la hausse s'inverse et renforce l'inquiétude.

Ce pessimisme invite à ne plus suivre la mode, et à faire durer des produits que l'on aurait aimé changer.

Les entreprises construisant leur stratégie sur la croissance sont menacées.

A. G. : Pour vous, une crise peut avoir des causes psychologiques, s'apparentant à la psychologie des foules.

M. L. : Nous entrons dans un domaine difficilement analysable. Nos gouvernements nous parlent d'une crise mondiale, pour se décharger sur les autres des malheurs de nos pays. Or, les pays asiatiques sont toujours très prospères. L'Europe et l'Amérique du Nord sont en crise, et l'Afrique s'effondre.

Les asiatiques croient encore à la famille, et à la valeur du travail. L'Europe s'interroge sur ces valeurs fondamentales, et c'est peut-être pourquoi elle a « la mort dans l'âme » et doute de l'avenir.

A. G. : La spéculation ne joue-t-elle pas un rôle déstabilisant ?

M. L. : La spéculation est certes un produit de l'intelligence, du jugement, d'une bonne information.

Il faut imaginer, anticiper une évolution. Cependant dans son principe, c'est toujours une exploitation. **A l'enrichissement du spéculateur correspond un appauvrissement d'autres personnes** — qui méritaient beaucoup plus de profiter de cet enrichissement.

Si un spéculateur sur le café apprend que des intempéries compromettent la récolte de grandes régions productrices, il peut acheter d'avance la récolte des régions qui n'ont pas été touchées et profiter de la hausse des prix qui résultera de l'insuffisance de l'offre.

Il eût été plus juste que cette hausse profitât aux producteurs.

Si le spéculateur jouait avec son argent, il y aurait demi-mal. Mais grâce au crédit, il peut s'arranger pour que les bénéfices soient pour lui si l'affaire tourne bien, et les pertes pour les autres si elle tourne mal.

Dans le domaine des affaires, la connaissance approfondie des lois sert plus souvent à aider les gens malhonnêtes à voler ceux qui sont honnêtes qu'à protéger ces derniers.

Que penser de la spéculation sur les monnaies, seul moyen de faire très rapidement des profits considérables **sans payer ni taxes ni impôts** ?

Cette spéculation déplace chaque jour sur le marché boursier mille milliards de dollars !

Les services les plus importants des banques, et les mieux payés, sont ceux qui s'occupent de spéculer.

Quant aux spéculateurs individuels, ils sont plus honorés que les grands industriels, les meilleurs artistes, les inventeurs de génie.

Gagner cinq milliards de dollars en deux jours mérite considération et respect.

Et qui a perdu ! Là, silence ! Pourtant, c'est la communauté nationale, celle des travailleurs anonymes. Voilà un des plus grands scandales de notre époque. Comme l'argent commande partout, et surtout dans les médias, nos spéculateurs ont encore de beaux jours devant eux !

Quand le franc est attaqué, il l'est non seulement par les spéculateurs internationaux, mais aussi par les banques françaises nationalisées, qui ruinent la Banque de France. Quelle absurdité !

A. G. : Vous préconisez la lutte contre les spéculateurs et des règles beaucoup plus sévères sur le crédit ?

M. L. : En 1929 et en 1990 la crise a été provoquée, en partie, par la spéculation. La différence c'est qu'en 1929 les financiers spéculateurs se sont trouvés effectivement ruinés, alors que de nos jours l'erreur n'est plus sanctionnée.

Si une banque nationalisée a fait des crédits spéculatifs catastrophiques, l'État paye et l'État c'est nous.

Il faudrait « responsabiliser » les chefs d'entreprise.

Quand un patron d'une grande entreprise fait des gaffes monumentales, il change d'entreprise après avoir été « remercié » avec des indemnités conséquentes.

Au temps de la marine à voile, l'armateur était propriétaire du bateau dont la perte éventuelle pouvait le ruiner.

Il embauchait un capitaine pour diriger son navire. Celui-ci recrutait l'équipage, et il était seul maître à bord après Dieu. S'il lui arrivait des ennuis avec l'équipage, s'il s'échouait ou avait des avaries en heurtant un récif, ou à la suite d'une tempête, il devait en rendre compte devant un tribunal.

Ce dernier était formé d'officiers de marine, navigateurs aptes à juger et à faire la différence entre une erreur de commandement ou de navigation et « fortune de mer ».

Condamné, le capitaine ne trouvait plus d'embauche.

Quelle merveilleuse organisation basée sur la compétence et la totale responsabilité de chacun, à chaque échelon !

Aujourd'hui l'incompétence, l'irresponsabilité et la lâcheté empoisonnent tout.

A. G. : Vous voudriez revenir pour les entreprises au même système ?

M. L. : Absolument.

Le financier, l'armateur, n'avait rien à dire sur la manière dont était dirigé le navire, ni sur le choix de l'équipage.

Certes, il choisissait le capitaine, mais celui-ci devenait seul maître à bord après Dieu et ne pouvait être jugé que par ses pairs.

Dans les grandes entreprises modernes, c'est souvent le financier qui est capitaine. C'est l'argent qui commande.

Le système existant autrefois pour les artisans et les agriculteurs (la presque totalité des producteurs) était satisfaisant.

L'artisan ou l'agriculteur se considérait comme l'usufruitier d'un bien, d'un fonds, d'un outil de travail reçu de ses ancêtres. Il devait le transmettre intact ou si possible amélioré, à ses héritiers, ou mieux, à son fils aîné.

Revendre ce bien, même en partie était un acte déshonorant et ignoble qui vous mettait au ban de la société.

Dans l'esprit de tous, transmettre son patrimoine génétique, ou son patrimoine temporel participait du même devoir.

L'idée d'accroître la valeur de son patrimoine pour réaliser une plus-value ne pouvait exister à cette époque. Sauf chez certains commerçants qui commençaient à considérer l'argent comme mesure de tout.

Travailler pour les générations futures, c'était l'honneur des hommes d'autrefois. On construisait des maisons faites pour durer mille ans.

Un tel système ne pouvait se perpétuer que dans des ethnies homogènes.

Dans le grand brassage de races réalisé aux État-Unis, il est normal qu'une seule valeur commune ait réussi à les réunir : l'argent.

Tout s'achète, tout se vend et l'outil de travail représenté par l'entreprise n'est qu'une valeur monnayable. Sa finalité n'est pas de produire en procurant du travail à ses salariés, mais de réaliser des plus-values au bénéfice du propriétaire.

Cet esprit de spéculation est en train de détruire l'industrie américaine, comme il détruit les arts.

En peinture la valeur marchande, spéculative, d'une signature peut valoir mille fois plus que la valeur artistique du tableau.

Les entreprises par action ne sont plus propriété familiale.

La valeur globale de l'entreprise est divisée en un certain nombre de titres de propriété.

Ces actions sont commercialisables et le lieu des transactions est la bourse de valeurs.

Théoriquement, si une entreprise a émis dix mille actions, chacune vaut le dix millième de sa valeur vénale, valeur constituée par ses biens matériels, son personnel, sa clientèle, sa renommée, etc.

Cette valeur vénale variant peu d'une année à l'autre, la valeur de l'action ne devrait pas varier de plus de 10 % par an.

En réalité les variations sont considérables, et une action peut doubler de valeur en quelques mois.

Pourquoi ? Parce que la bourse n'est que le champ clos de la spéculation.

Qu'une entreprise annonce de bons résultats et aussitôt tout le monde veut en acheter les titres.

Si personne ne vend et que tous achètent, la hausse devient vertigineuse et sans fondement.

Le jeu est de savoir à quel moment revendre pour prendre son bénéfice.

Je n'accepte pas que l'entreprise, où tant d'hommes mettent le meilleur d'eux-mêmes, soit réduite au rôle d'enjeu par des spéculateurs.

Là comme ailleurs, il faut détruire la spéculation.

L'enrichissement spéculatif à la Bourse se fait au détriment d'une masse de braves gens utilisant une partie d'un patrimoine durement gagné. Ceux-ci sont éblouis par les gains qu'on leur fait miroiter. Cela ressemble aux joueurs de poker professionnels, qui tentent d'attirer des amateurs pour leur proposer une partie où ils se feront arnaquer.

Tout est déstabilisé par la spéculation, aussi bien le prix des métaux que celui du café ou du cacao.

La notion de juste prix disparaît. Celui-ci représente la juste rémunération de tous ceux qui ont travaillé pour élaborer le produit et l'apporter à l'acheteur.

Ce juste prix, qui devait être stable, ne cesse de varier suivant que les spéculateurs prévoient des plus-values ou des moins-values latentes.

A. G. : La bourse n'est-elle pas un mal nécessaire. N'est-elle pas la source des capitaux dont les entreprises ont besoin pour investir, pour se développer et être parmi les meilleures ?

M. L. : C'est ce qu'on dit pour justifier la bourse.

La plus importante bourse du monde est sans conteste Wall Street. Cependant les entreprises industrielles qui y sont cotées ne sont plus capables d'exporter, tant le rapport qualité-prix de leurs produits sont parmi les plus mauvais de tous les pays industriels.

Le déficit de la balance commerciale U.S. est catastrophique.

Cette notion de juste prix est encore très forte dans des pays comme la Suisse : un industriel qui vous fait un devis ne cherche pas à se rendre compte si votre incompétence lui permettra de forcer la note.

En France, on oublie de plus en plus cette notion de juste prix. Chaque vente est l'objet de marchandages où le plus malin doit gagner.

Ce n'est plus le commerce honnête mais le « souk ». Beaucoup de grands magasins ou d'importants industriels ne cessent de parler de ventes promotionnelles, de soldes, de prix sacrifiés, de braderie.

Or, pour toute entreprise existe la notion de juste profit, celui qui permet de payer les salariés, les investissements, les charges et la rémunération du capital.

Pour obtenir ce juste profit en faisant des prix promotionnels, des offres spéciales, des soldes toute l'année, il y a un truc.

Celui-ci consiste à partir d'un prix catalogue gonflé, avec une marge bénéficiaire excessive. Avec ces prix artificiels, on attrape tout de même des clients naïfs qui font confiance à la maison, puis quelque temps après on organise de fantastiques soldes à 20 %, 30 % ou 50 %.

Résultat, les clients honnêtes qui ont payé le prix fort perdent confiance dans le magasin, et les clients qui ont attendu les soldes font parfois de mauvais achats tant la fascination des prix bradés l'emporte sur le besoin réel.

De toutes façons sachez que le magasin doit réaliser son

juste profit. Ces procédés donnent l'occasion de faire des dépenses publicitaires supplémentaires et détruisent la confiance qui devrait régner entre acheteur et vendeur dans une société civilisée.

Mon objectif étant de construire une société stable, civilisée, honnête, où seul le travail, courageux, intelligent, consciencieux mérite un juste profit, combattons moralement et juridiquement tout profit venant de la spéculation.

Dans le commerce, revenons à la notion de juste prix qui interdit toute remise ne correspondant pas à une véritable diminution du prix de revient.

Pas de prix déterminés par la catégorie du client. Les articles ayant réellement perdu de leur valeur peuvent être soldés sans publicité et toute l'année.

Ainsi on ne verrait plus des articles tour à tour trop chers et puis soi-disant bradés. Le commerce honnête remplacerait le « souk ».

Dans l'industrie, il faut fortifier la trésorerie des entreprises en les obligeant à inscrire dans leur passif des provisions sur salaires très importantes. Elles utiliseront celles-ci en cas de baisse des affaires, pour conserver les emplois.

Ces provisions serviront d'amortisseurs de crise. Elles effaceront les effets en chaîne, qui se multiplient par suite de l'extrême fragilité de la plupart des entreprises. Celles-ci sont en effet poussées à utiliser leur trésorerie au maximum, et leurs disponibilités de crédit alimentent la guerre économique.

Enfin, il ne faut pas aider sans discernement les entreprises en difficulté. Celles qui sont victimes d'événements imprévisibles et imparables doivent être secourues. J'émets des réserves sur celles dirigées par de mauvais gestionnaires, ou des affairistes.

ACTION ET DÉMOCRATIE

A. G. : Nous avons en France, actuellement, près de quatre millions de chômeurs. Ne plus gagner son pain par son travail, être un assisté représente une déchéance.

M. L. : Le chômage résulte des inventions, découvertes, innovations, utilisées par les entreprises et les services leur permettant de produire plus avec moins de personnel.

On commence par ne plus respecter les horaires qui permettent une vie familiale normale.

Puis, par nécessité d'être toujours plus performant, on remplace les hommes par des robots, à moins qu'on délocalise la fabrication ou certains services.

Tout cela est accepté par une politique du « laisser-faire » dans le monde entier, par tous les gouvernements.

A. G. : Nous ne pouvons rien faire pour arrêter cette évolution ?

M. L. : Si. Il faut d'abord que les pays du progrès et de la compétition prennent conscience du mal. Ensuite que ces pays aient à leur tête des hommes d'action pour combattre ce mal.

A. G. : Nos démocraties ont-elles ces hommes d'action ? D'abord, qu'est-ce qu'un homme d'action ?

M. L. : Agir, c'est remuer les choses et non remuer les mots, les idées. Bergson a dit : « La spéculation est un luxe, l'action une nécessité. »

Jules César, après la guerre des Gaules déclara : « Veni, vedi, vici. » Traduisons.

Veni : Je suis venu. Je ne suis pas resté à Rome pour préparer mes plans à partir de cartes et de rapports de mes émissaires.

Vedi : J'ai vu sur le terrain le maximum de choses, et avec mes subordonnés les mieux informés.

Vici : A partir de ces réalités, j'ai pris des décisions dont j'étais certain de la bonne exécution, et j'ai vaincu.

La guerre, c'est l'action à l'état pur. L'on est confronté en permanence à des situations nouvelles, qui demandent une solution.

Plus la décision est judicieuse, rapide, et bien exécutée, plus le résultat est immédiatement visible. Chacun est responsable de ses actes et en subit très vite les conséquences.

La guerre est un art tout d'exécution, disait Napoléon.

Pour lui, les échecs venaient rarement d'une mauvaise décision — la plupart du temps tombant sous le sens — mais presque toujours d'une mauvaise exécution.

Or, chaque jour, des hommes politiques hésitent à prendre des décisions. Quand enfin ils se décident, ils se désintéressent complètement de l'exécution.

L'important, pour eux, c'est « l'effet d'annonce », exposer à travers les médias un beau projet — comme si c'était fait.

Après vient l'exécution du projet. Alors là, ça dure des années et l'auteur semble s'en désintéresser.

Sait-on qu'une loi votée au Parlement reste lettre morte tant que le décret d'application n'est pas paru au Journal officiel ?

Or, en dehors des nouveaux impôts, il faut des années pour obtenir la parution de ce décret d'application.

Parfois cela n'arrive jamais !

Parfois, cela va aussi très vite, et c'est assez intéressant à observer.

A titre d'exemple, j'aimerais analyser une action ministérielle récente.

Quand il fut possible, avec une certaine sécurité, d'aller distribuer du riz aux enfants de Somalie, maintes associations caritatives, comme la Croix-Rouge, se mobilisèrent.

Ces « professionnelles » utilisent au mieux l'argent reçu. Et la question pouvait s'analyser ainsi :

— Quel type de riz convient aux Somaliens ?

— Où trouver ce riz à bon compte ?

— Quel emballage supportera le voyage, sans détériorer le produit ?

— Comment l'acheminer, le distribuer ?

— Le personnel est-il bien mobilisé pour exécuter le travail final ?

Une fois les réponses données, passons à la phase finale, sans bruit, avec pour seul but de soulager ceux qui souffrent.

Cependant, un de nos ministres y voit l'occasion d'une belle action médiatique : faire participer les enfants de France. Ameutant journaux, télés, radios, il demande à chaque écolier d'apporter un paquet de riz pour sauver un petit Somalien.

Cette belle idée lancée, notre ministre fut bien obligé de la suivre. Les professionnels lui expliquèrent qu'il était impossible d'expédier la denrée en boîte. Tout emballage serait ouvert, et le contenu versé dans un sac.

On mélangea du riz de diverses provenances, de cuissons différentes. Ce « cocktail » convenait-il aux Somaliens ?

Or, le journal *Ouest-France* souligna : « En mélangeant tous ces riz, on obtient, après cuisson, soit du béton, soit de la colle. » De quoi achever les malheureux affamés !

Où acheminer ce riz ? Il doit, de toute façon, partir devant les caméras de télévision.

Le débarquement pose des problèmes. Le bateau est aperçu au Kenya, accoste enfin à Mogadiscio. Sous l'œil des caméras, notre ministre décharge quelques sacs, et les charge sur un camion. Les rebelles affameurs détournent à leur profit les chargements... Bon appétit !

Avec le coût de l'opération, des professionnels auraient pu en mener une semblable, en décuplant son efficacité.

Dans une société privée, un cadre agissant comme ce ministre aurait été licencié pour faute lourde.

L'opinion publique l'a pourtant plébiscité. Beaucoup, même, lui avançaient le fauteuil de président de la République !

Je n'ai rien contre ce ministre, peut-être sincère (c'est difficile à savoir avec les hommes politiques), et si j'ai analysé cette opération, c'est pour montrer l'importance, de nos jours, de « l'effet d'annonce » et du dédain avec lequel on traite de l'exécution.

Un général-président n'aurait-il pas dit : l'intendance suivra ? cela voulait dire : l'exécution, c'est l'affaire des services.

Sans le dire, voilà la doctrine constante de nos ministres.

Entrer dans le concret, c'est se salir les mains sans aucune gloire.

A. G. : Le suffrage universel ne serait pas un système fiable pour sélectionner les meilleurs gestionnaires ?

M. L. : Être ministre, ce n'est pas seulement trouver des compromis, apaiser momentanément des conflits, résoudre au mieux les problèmes les plus urgents, faire des coups médiatiques, tendre des pièges à l'opposition, voter de nouveaux impôts.

C'est aussi, et surtout, gérer l'entreprise France, exactement comme on gère une entreprise : résoudre réellement les problèmes posés, et tenter constamment de prévoir ceux qui vont surgir dans un an, dans cinq ans, dans dix ans.

Des pays pauvres en terres agricoles, en production minière, en pétrole, comme la Suisse et le Japon sont devenus des pays riches par l'énergie, l'intelligence de leurs habitants et la bonne gestion de leurs dirigeants.

On disait autrefois : « Travaillez, prenez de la peine, c'est le fond qui manque le moins. »

A. G. : Qu'appelait-on « le fond » ?

M. L. : Les moyens matériels. Aujourd'hui, on dirait les capitaux. C'est ce qui manque le moins pour réussir.

A. G. : Vous comparez l'entreprise France à une entreprise privée et vous cherchez comment trouver les bons gestionnaires.

M. L. : Exactement.

Certains démocrates sincères et honnêtes ont dit la chose suivante : puisque le suffrage universel est le meilleur moyen pour désigner ceux qui sont les plus dignes pour gérer la France, pourquoi ne pas l'employer dans les entreprises — et tout d'abord dans les très nombreuses appartenant à l'État, pour choisir le meilleur patron.

C'était la logique même.

Curieusement l'ensemble de la classe politique, socialistes compris, n'a pas tellement apprécié.

Peu d'entreprises, en effet, résisteraient à un tel traitement.

Pourquoi ?

Le choix des salariés serait purement subjectif. On choisirait celui qui fait la meilleure impression, qui parle bien, promet de s'occuper des problèmes des salariés avant d'évoquer ceux de l'entreprise.

Les décisions qui demandent un effort pour le présent, en espérant récolter ses fruits dans un avenir lointain, seraient écartées comme peu populaires.

Bref, ce système obligerait à la démagogie, à la surenchère vis-à-vis des autres candidats et à taire les difficultés, les efforts nécessaires.

La stratégie commerciale et technique d'une entreprise devant rester secrète vis-à-vis des concurrents, le candidat-patron ne pourrait l'exposer.

Le patron, une fois élu, serait obligé de penser à sa réélection, et les augmentations de salaire iraient bon train.

L'État, lui, ne peut pas faire faillite. S'il a trop de dettes il dévalue sa monnaie pour rembourser en monnaie de singe.

Il peut aussi augmenter les impôts des citoyens qui ont le moins de poids électoral.

Même si l'homme politique a de la valeur, le suffrage universel lui ôte toute possibilité de gérer correctement sur le long terme. Il en est réduit à une pitoyable gymnastique pour conserver la faveur de l'opinion publique, tout en maintenant une activité économique indispensable.

Les hommes politiques ont parfaitement conscience des vices du suffrage universel. Jamais, au grand jamais, ils ne le proposeront pour élire le patron de l'entreprise.

Mais la démocratie n'est pas un mauvais régime par principe.

J'ai cité la Suisse et le Japon comme pays bien gérés. Ce sont des démocraties, et si j'ignore comment fonctionne la Japonaise, je connais bien celle pratiquée en Suisse.

Le suffrage universel est déjà vicié en France par la manière dont il est utilisé.

Vous avez entendu parler de tous les scandales provoqués par le financement des campagnes électorales.

Or, les hommes politiques — qui peuvent tous être amenés un jour à condamner les violeurs de la loi —, acceptent l'abus de biens sociaux du patronat pour les financer.

A. G. : Pouvez-vous m'expliquer ce qu'est l'abus de biens sociaux ?

M. L. : Toutes les dépenses d'une entreprise doivent concourir à sa prospérité.

Si le patron utilise les fonds de l'entreprise pour se faire construire une maison, c'est un abus de biens sociaux.

S'il fait faire n'importe quoi pour l'entreprise d'un ami, ou d'un parent et le fait facturer à son entreprise, c'est un abus de biens sociaux.

Toutes les dépenses doivent être prouvées dans leur matérialité et dans leur utilité pour l'entreprise.

Il est donc impossible de financer un parti politique, ou la campagne d'affichage d'un candidat, sans commettre un abus de biens sociaux.

Premier point, tous les hommes politiques ont incité des entreprises à contrevenir gravement à la Loi.

Second point, une entreprise ne peut donner de l'argent sans compter un retour fructueux, soit pour le patron à titre personnel, soit pour l'entreprise.

Si c'est pour l'entreprise, on peut alors considérer qu'il n'y a pas abus de biens sociaux.

Par contre, dans les deux cas, il y a corruption, soit du parti, soit de l'homme politique qui reçoit les fonds et qui n'est plus tout à fait libre vis-à-vis de ceux dont il a reçu les fonds.

A. G. : C'est le passé. Maintenant ces choses ont été clarifiées.

M. L. : Pas du tout. Les partis de droite ont réclamé le maintien du financement des partis par les entreprises, mais officiellement au lieu de la manière occulte de naguère.

Une entreprise ne doit faire que des opérations profitables. Comment peut-elle financer à fonds perdus qui que ce soit ?

Ce serait un abus de biens sociaux pour l'administration fiscale, et une lourde faute de gestion pour le Conseil d'administration. Dans le cas contraire, c'est de la corruption pour obtenir quelque régime de faveur, quelque passe-droit.

La moralité de nos hommes politiques manque de rigueur.

Or, si les chefs donnent l'exemple de la corruption, on ne sait pas où cela s'arrêtera dans l'administration. Regardez les états africains.

A. G. : Je ne comprends pas pourquoi les hommes

politiques réclament tant d'argent pour leur campagne électorale. Si j'ai bien compris, l'État paye les panneaux et les affiches, l'envoi du programme à tous les électeurs, ainsi que les salles de réunion. Il finance en outre les partis en place.

Comme c'est un débat d'idées, c'est suffisant. Que reste-t-il à payer ?

M. L. : Des spécialistes l'assurent : une campagne électorale pour la députation coûte entre cinq cent mille et un million de francs. C'est considérable.

Je vais vous expliquer pourquoi cela coûte si cher.

La plupart des candidats sont pratiquement inconnus des électeurs.

Si vous lancez le même jour dix marques de lessive avec impossibilité de les essayer avant de choisir, quelle sera l'élue de la clientèle ?

A. G. : Naturellement celle qui aura fait la meilleure campagne de publicité.

M. L. : Vous avez compris. Un candidat avisé sait qu'il doit s'adresser à une agence de publicité spécialisée en communication.

Que fait l'agence de publicité ? Une analyse sociologique des électeurs, et obtient leur liste par catégorie : les personnes âgées, les jeunes, les agriculteurs, les commerçants, les salariés, les fonctionnaires, les professions libérales, etc.

Après, les enquêteurs analysent les revendications de ces différentes catégories d'électeurs.

Les gens âgés s'inquiètent de leur retraite, de la qualité des soins et de leur gratuité.

Les salariés s'inquiètent de la montée du chômage, etc.

A partir de là, on organise des mailings aux différentes catégories d'électeurs, avec programme très ciblé pour les attirer.

Un candidat riche peut même se payer la lettre personnalisée : « Cher Monsieur Dupont. Vous ne me connaissez pas encore c'est pourquoi je me permets de vous écrire pour me présenter et vous exposer quelques idées que... »

Sur de telles lettres, on ajoute souvent un post-scriptum qui semble manuscrit :

« P.S. Cher Monsieur Dupont, n'hésitez pas à me téléphoner si quelque chose vous tracasse. Si je ne suis pas là, une de mes collaboratrices vous répondra. »

Si tout cela est bien orchestré, cela coûte cher.

Celui qui se paye la meilleure agence est à peu près sûr d'être élu.

L'homme politique entre obligatoirement dans ce monde du business où tout se monnaye.

On élimine les hommes aux convictions pures qui disent ce qu'ils pensent et non ce que les électeurs souhaitent entendre.

Nos hommes politiques, particulièrement les leaders de partis, jusqu'au président de la République, en sont réduits à demander aux professionnels de la communication de leur préparer leur campagne politique. Ils manquent singulièrement d'amour-propre.

C'est l'indice d'un manque total de sincérité et de respect pour les électeurs.

Quand j'écoute le discours d'un leader, dans sa manière de parler, de se tenir, dans ses gestes, dans les arguments qu'il emploie, lesquels sont de lui et lesquels viennent de ses conseillers en communication ?

J'avoue me sentir mal à l'aise.

A. G. : Condamnez-vous la démocratie ?

M. L. : Non, mais cette forme de démocratie.

Il existe une énorme différence entre la France et la Suisse : le respect des citoyens.

L'élu, en Suisse, à tous les échelons, sait que les moyens financiers dont il dispose viennent des impôts payés par le citoyen. Les dépenses doivent donc être faites à la satisfaction de tous, ou de la majorité.

En France, l'élu est un petit roitelet, considérant qu'il a les pleins pouvoirs pour dépenser à sa guise et selon sa fantaisie.

Il ne consulte pas les citoyens, déjà considérés avec quelque mépris lors de son élection.

En Suisse, un maire ne peut investir : piscine, terrain de sport, financement d'une équipe de football ou d'un orchestre, sans consulter les électeurs par un vote.

La consultation doit être sérieuse et indiquer le projet exact, le budget, les avantages espérés pour les citoyens, ainsi que l'augmentation des impôts qui en résultera.

Le maire se conforme à la décision des citoyens.

En France, le maire dépense comme il veut. Avec certes la sanction possible de la non-réélection, mais en attendant le mal est fait. Voyez Angoulême, qui fut ruinée par son maire.

La corruption petite, mais maléfique, commence au stade de la mairie des petites communes.

Il est très facile de déceler la corruption. Il suffit de mettre sur pied quelques brigades spécialisées. Les sanctions doivent être rapides et exemplaires.

Dans une bonne démocratie, tous les élus doivent être incorruptibles.

A. G. : On peut donc améliorer fortement le fonctionnement de nos institutions. Est-ce suffisant pour s'attaquer aux grands problèmes ?

M. L. : L'adresse à manier les idées ou les dons oratoires ne sont pas des critères de sélection des hommes d'action.

On peut être à la fois un grand orateur et un homme d'action, mais c'est l'exception.

Rappelez-vous les vieux proverbes : « On reconnaît l'arbre à ses fruits » (et un homme à ses actes et non à ses paroles).

Ou encore :

« Les grands diseurs ne sont pas les grands faiseurs. »

« Le monde en conseillers foisonne, quand il s'agit d'exécuter on ne trouve plus personne. »

Améliorons la démocratie mais, inspirons-nous de la Suisse, où le champ d'action du gouvernement confédéral reste limité.

Le gouvernement doit gérer le minimum : la Justice - la Police - l'Armée.

A. G. : En conclusion : un homme d'action ne prend jamais de décision sans être certain de son exécution, pour laquelle il impose un délai. Il la surveille jusqu'à son terme.

Le non-respect de ses ordres est durement sanctionné.

M. L. : L'homme d'action étudie dans ses moindres détails les possibilités d'exécution, de réalisation de son projet.

Lorsqu'il a clarifié le processus d'exécution, alors il prend la décision — *aboutissement de l'étude de faisabilité — et non son point de départ,* comme le croit l'homme du savoir-dire.

Ce dernier croit que les services, l'intendance suivront.

Récemment, nous avons vu le patron d'Air France qui avait été désigné non par suite de réussites dans le transport aérien, mais à cause de ses diplômes, préparer un vaste plan de redressement. Les pertes résultant du laxisme de ses prédécesseurs devaient disparaître.

Malheureusement, son plan a été publié non pas après une étude de faisabilité mais avec l'accord de son ministre qui n'y connaissait rien du tout.

A. G. : Une décision relativement simple à exécuter peut être lourde de conséquences.

En démocratie, un homme politique sait que son destin dépend de sa réélection et du succès de son parti.

M. L. : « L'effet d'annonce » aura un retentissement électoral très favorable, mais dont il veut ignorer les conséquences lointaines.

Toutes les mesures du type : augmentation du S.M.I.C., diminution du temps de travail, allongement des congés, ressortent de cet ordre. Les entreprises payent, et le gouvernement en tire le bénéfice. Du moins le croit-il.

Cette démagogie élémentaire indique combien le gouvernement ne sait même pas comment fonctionne une entreprise.

S'il n'y a aucun gain de productivité, ces « avantages » accordés aux salariés se traduisent arithmétiquement en hausse des prix.

Certes, lorsque les gains de productivité étaient importants, cela permettait des « avancées sociales » dont syndicats et gouvernement se glorifiaient.

En réalité, ces gains de productivité n'étaient pas la

conséquence de l'action des syndicats ou du gouvernement. Généralement c'était plutôt le contraire.

Ils provenaient de l'action de l'ensemble des salariés, et surtout de ceux s'ingéniant à parfaire le fonctionnement des services, pour améliorer la productivité.

Si les syndicats, et nos hommes politiques, avaient connu leur puissance au temps de Louis XIV, ils n'auraient pu décréter la semaine de 39 heures et 5 semaines de congés, sans affamer très rapidement la France.

Pour se loger, se nourrir et s'habiller de la manière la plus rudimentaire, il fallait travailler dur, de l'aube au crépuscule, toute l'année.

Dans la mesure où l'on trouve bénéfique de travailler moins et d'améliorer notre bien-être, nous le devons uniquement aux inventions, et non à l'action syndicale.

Pour les idéalistes, les syndicats ont joué malgré tout un rôle important dans le partage des richesses issues des inventions (gains de productivité).

C'est une erreur.

Henri Ford s'aperçut un jour qu'il accumulait une énorme fortune en payant peu ses ouvriers : ceux-ci, avec leur bas salaire, ne pouvaient s'acheter de voitures.

Alors il doubla toutes les rémunérations. Il améliorait le niveau de vie de son personnel, qui pouvait acheter ses automobiles.

Il prenait cette augmentation sur le bénéfice de l'entreprise, croissant au fur et à mesure que les ventes progresseraient.

La décision de Ford était sans rapport avec le combat syndical.

Cependant vous m'avez parlé de décisions faciles à

exécuter mais lourdes de conséquences plus ou moins lointaines.

Étudions un cas concret.

Au début de l'année 1993, le ministre des D.O.M.-T.O.M., décidait de doubler les allocations familiales à La Réunion.

Sur le plan électoral, c'est une excellente décision pour le Parti socialiste.

Sur le plan moral, rien à dire : on a décidé, au moment de la décolonisation, de conserver à la France les territoires d'outre-mer les plus pauvres et d'en faire des départements.

La Réunion a droit aux mêmes avantages que la métropole.

Quittons la morale électoraliste pour analyser l'activité de cette île.

L'économie politique d'un pays, c'est finalement l'addition de ses richesses naturelles et de la capacité des habitants de les exploiter au mieux.

La Réunion est une île volcanique, couverte de montagnes qui parfois tombent directement dans la mer.

Il n'existe aucune plage de sable touristiquement exploitable, aucun plateau rocheux favorable à la pêche professionnelle.

Le pays est très joli pour les excursions pédestres. Les terres cultivables sont très peu étendues.

A cause de la fréquence des cyclones, une seule culture résiste : la canne à sucre.

Cela permet de fabriquer du sucre qui se vend mal et du rhum qui développe l'alcoolisme.

Les Français s'y sont installés au XVIe siècle. Ils ont

importé de la main-d'œuvre africaine. Une forte immigration hindoue et asiatique a aidé à l'augmentation de la population, depuis cinquante ans.

A l'époque où j'y ai vécu, en 1953, il y avait 80 % de réformés pour le service militaire. Le métissage entre les races africaines et les blancs a été presque total.

On y parle le créole, français simplifié et abâtardi.

Les Hindous (Malabars) et les Asiatiques ne se métissent que très peu.

La Réunion a de quoi faire vivre d'une manière autonome environ cent mille habitants courageux et actifs.

Les Réunionnais, c'est leur droit, préfèrent une vie végétative avec le minimum de travail et peu de consommation.

Dès le début, les très faibles allocations familiales leur apparurent comme une aubaine qu'ils appelèrent aussitôt : « l'argent braguette ».

A La Réunion, les allocations familiales réussissent à faire proliférer la partie de la population la plus inactive, la plus incapable de gagner sa vie, car elles rapportent beaucoup plus que ne coûte la marmaille. Elles ne représentent aucune incitation pour les plus actifs, car les enfants diminuent l'activité des parents, donc leurs profits.

La Réunion vit en presque totalité des transferts sociaux de la métropole.

Avec des allocations familiales partielles, la population est passée d'environ deux cent mille au moment de la guerre à trois cent quarante mille en 1958, et à six cent mille en 1992.

La production n'a pas augmenté pour cela. La viande et les poissons sont toujours importés. Les pharmacies, vivant de la Sécurité sociale, y sont les commerces les plus prospères.

Que coûte tout nouvel enfant : les primes de grossesse, les frais d'accouchement, les aides de mère au foyer, les allocations familiales, les frais de Sécurité sociale, les frais d'éducation (école, professeurs), et plus tard le R.M.I. et les allocations chômage.

Avec ces nouvelles allocations familiales, l'explosion démographique est garantie.

C'est donc une décision très profitable pour un parti, économiquement catastrophique pour notre pays, et finalement pour les Réunionnais.

Une telle décision a-t-elle emporté l'unanimité du gouvernement et des élus du peuple ?

Le gouvernement ? Il ne semble pas avoir été consulté ! Il n'en a pas parlé.

Les députés et les sénateurs ? Pas la moindre objection.

L'augmentation du tarif du métro aurait fait plus de tapage. Il est vrai que cette mesure aurait eu un impact électoral négatif.

Un jour à La Réunion, le désastre sera irrémédiable. Qui se souviendra alors des quelques démagogues qui l'auront préparé ?

LA JUSTICE

M. L. : « Je préfère l'injustice au désordre » a dit Goethe.

Phrase très claire au premier abord, mais assez ambiguë quand on y réfléchit. Il est en effet douteux que la justice puisse exister quand règne le désordre.

Le désordre, c'est la loi du plus fort. Le droit est bafoué, il n'y a plus de justice.

J'interpréterai donc ainsi la phrase de Goethe : je préfère un pouvoir fort qui fasse régner l'ordre, même si parfois une condamnation exemplaire et injuste est nécessaire.

Un général fut chargé, en 1917, d'arrêter les mutineries risquant de faire basculer l'armée, d'anéantir le résultat de trois années d'immenses sacrifices, et de donner la victoire à l'ennemi. Il réprima durement et rapidement.

Beaucoup des mutins étaient des hommes admirables qui après des jours d'horreur, de boucherie, pour conquérir des positions inutiles, avaient dit : assez !

Quand une bête ne peut plus, on a beau taper dessus, elle refuse tout et se couche.

Le général fit fusiller une cinquantaine de soldats et d'officiers, pour l'exemple.

C'était une injustice flagrante, mais tout en réprimant, il montra qu'il avait compris combien étaient justifiées les plaintes des combattants. Il prit des mesures équitables montrant son respect pour eux. Il sauva l'armée et lui redonna la confiance et l'acceptation du sacrifice pour vaincre.

Il avait préféré l'injustice au désordre.

Certes, les « Droits de l'homme » ont été bafoués. La justice n'a pas été rendue selon les principes de l'idéologie culturelle, pour laquelle mieux vaut acquitter cent coupables que de condamner un seul innocent.

Mais d'autre part, ces injustices ont évité la mort de centaines de milliers de soldats à la suite d'une mutinerie générale — ainsi qu'une défaite avec ses terribles conséquences pour la nation.

Cinquante fusillés innocents sur un million cinq cent mille morts au champ d'honneur, également innocents.

Le général en a décidé ainsi en son âme et conscience.

Selon l'idéologie culturelle, nous l'avons expliqué, tout est acquis, rien n'est inné.

Le fœtus dans le ventre de sa mère va se développer en subissant les influences extérieures.

Puis, dès sa naissance, il va continuer à être modelé par son environnement.

Seules ces acquisitions en feront soit un être actif, honnête, franc, loyal, généreux, soit un pervers, malhonnête, fourbe, méchant, égoïste.

Le délinquant ou le criminel ne peuvent être que des victimes de la société qui leur a fourni un mauvais environnement.

En outre, cette société leur a donné une mauvaise éducation. A l'école, ils faisaient partie des trente pour cent qui n'arrivaient pas à suivre.

La société, également, en a fait des chômeurs tout en

244

mettant à portée de leurs mains mille objets merveilleux sans leur donner la possibilité de les acquérir.

Bref, ils sont innocents et la société est coupable. Elle doit donc non pas les punir, mais réparer ses fautes en les guérissant à ses frais.

Dès lors, la prison devient une sorte d'hôpital pour délinquants et criminels, aussi confortable et agréable que possible.

Chaque « malade » y est traité individuellement. On multiplie les permissions de sortie jusqu'au jour de la guérison, où l'on organise la réinsertion.

Ce système très séduisant, horriblement coûteux, n'a qu'un défaut, celui d'avoir été totalement inefficace partout où il a été mis en pratique.

A. G. : Est-ce dire que la délinquance et le crime sont innés ?

M. L. : C'est plus complexe que cela.

En effet, si le délinquant fait partie d'une bande, d'une communauté hostile à la communauté dominante qui fait la Loi, même si cette bande fait de la délinquance caractérisée, elle est organisée et possède ses propres lois, son propre code de bonne conduite, voire d'honneur.

Réussir à intégrer ce délinquant à une autre communauté n'ayant pas la délinquance pour objectif, et il est sauvé.

Le punir durement ne peut que le maintenir parmi les hors-la-loi. Même si c'est nécessaire, il faut tenter autre chose.

L'important c'est de bien déterminer si le délinquant est psychopathe, pervers ou non.

Pour un petit nombre, il existe une réinsertion possible. *Il faut le juger au premier délit.*

Or, les psychopathes savent très bien jouer les repentis pour sortir plus vite du trou et recommencer.

En un sens, même le pervers n'est pas coupable d'être né ainsi, mais la société doit s'en protéger.

Ces considérations vont me permettre de vous expliquer les principes de la justice selon l'Ordre Naturel.

Dans la nature, l'animal agit selon un programme. Il est exactement adapté à l'accomplissement de ce destin, inscrit dans son patrimoine.

Si à la suite d'un accident génétique un tigre naît sans griffes, il ne pourra pas maintenir sa proie pour la tuer. Il mourra.

Toute anomalie crée une inadaptation mortelle.

Dans la société humaine, c'est différent. La normalité est contestée : aucun être humain n'est vraiment bien adapté à la vie qu'il mène, et nous avons le moyen de faire vivre n'importe quel enfant, physiquement ou mentalement handicapé.

La société se pose une seule question : comment permettre aux handicapés, aux pervers, aux psychopathes, de vivre heureux et d'accomplir les fonctions humaines, dont celle de la reproduction ?

Une autre question, bien plus importante, n'est jamais posée : *pourquoi ces êtres sont-ils nés handicapés, pervers, psychopathes* ?

Est-ce chez leurs parents que le patrimoine génétique décidant de l'aspect physique et du comportement, a été détérioré ?

Si oui, comment empêcher cette détérioration ? Si elle

est irréversible, comment empêcher qu'elle ne soit transmise ?

Pourquoi les enfants doivent-ils « trinquer » des fautes de leurs parents ?

Pour l'Ordre Naturel, on distingue les délinquants individuels, asociaux, pervers, psychopathes de naissance ; et les groupes, les communautés hors-la-loi qui vivent de la délinquance et du crime.

Pour les premiers, la mentalité ne peut être changée, et ils sont donc irrécupérables. Cependant il est possible d'utiliser les principes du dressage.

Le dompteur vit au milieu des fauves, non pas parce qu'il leur a fait perdre leurs instincts sanguinaires, mais parce qu'il a imposé sa loi, à un moment donné, par un châtiment qui crée une inhibition. Cette crainte, inscrite dans le mental de l'animal, lui permet durant sa vie d'éviter les êtres et les lieux dangereux pour lui.

Par les mêmes procédés, on peut dompter les êtres humains sans pouvoir éviter parfois des accidents. Le dompteur se fait parfois manger par ses fauves.

Ce genre de châtiment dissuasif est totalement condamné par l'idéologie culturelle qui veut les prisons agréables, avec des jeux, des sports, de la musique, de la télévision, des rencontres féminines. Les délinquants doivent sentir le temps passer très vite.

Sans que la détention soit brutale, il la faudrait au contraire pénible à supporter.

Mieux vaudrait des peines plus courtes, mais imprimant la crainte de subir une nouvelle incarcération.

Rien n'est plus difficilement supportable et pénible que la cellule où l'individu se trouve seul avec lui-même.

Une journée sans télévision, sans lecture est plus dissuasive que 10 jours de prison-palace. En outre, il y a impossibilité de nouer des relations et d'améliorer sa connaissance des techniques de la délinquance.

Un petit délinquant puni de deux mois de cellule n'aura vraiment pas envie d'y retourner.

Ainsi l'État dépenserait beaucoup moins en frais de détention et la punition serait beaucoup plus dissuasive.

Venons-en à la délinquance de groupe.

Celle-ci a généralement pour origine des différences sociales ou ethniques de jeunes qui rejettent les valeurs de l'ethnie dominante.

Le chômage les mène alors à la délinquance bien que l'État les assiste.

Ces délinquants, jeunes, sont récupérables. Ce ne doit pas empêcher de les punir comme les autres, tout en leur offrant le moyen d'entrer dans la communauté nationale.

S'ils font partie d'une ethnie immigrée dont la mentalité est très différente de la mentalité de l'ethnie dominante et si, en plus, leur personnalité les rend peu aptes à utiliser les techniques professionnelles inventées par celle-ci, une seule solution : le retour dans leur communauté d'origine.

On ne peut pas lutter contre les crimes passionnels par l'exemplarité de la peine.

Par contre pour les délits, les crimes dont l'objectif calculé est un profit, la dureté de la peine est presque totalement opérante.

La délinquance et le crime deviennent alors le fait d'êtres peu intelligents, incapables de peser le risque et son profit.

Pas plus une police forte avec une justice faible, qu'une police faible avec une justice forte, ne peuvent obtenir une importante régression des crimes et délits.

La police doit être efficace et la justice rapide afin que la punition suive la faute. Il faut analyser le cas de chaque individu commettant sa première faute, afin de déterminer s'il est sain de corps et d'esprit, et si seules les circonstances l'ont entraîné hors-la-loi. Dans ce cas, il devra être aidé.

Enfin, en dissuadant les parents au patrimoine génétique dégradé de faire des enfants (dont la vie serait un long calvaire) on diminuera le nombre des criminels-nés.

LE PROGRÈS

A. G. : Vous évoquiez les effets pervers du progrès en agriculture et dans l'industrie. Tous les domaines sont-ils « contaminés » ?

M. L. : L'être humain reste biologiquement animal. Des forces inconscientes le commandent. Il aspire au bonheur, et fuit la souffrance.

Un programme génétique lui indique ses pulsions de bonheur ou de malheur. Si ce dernier est perturbé, ses goûts risquent de se différencier de ceux de ses semblables. Il ignore son statut de forme temporaire, porteur d'un patrimoine génétique éternel conçu pour une seule finalité : la perpétuation.

L'être humain s'est éloigné de l'Ordre Naturel. Il ne comprend plus que les chimères qu'il poursuit ne sont pas des fins en soit, mais des moyens pour assurer sa survie. Le bien-être, le plaisir et la jouissance restent pour lui le maître-étalon du seul progrès.

Or, ce dernier n'a pas de sens par rapport à la perpétuation. Le monde animal et végétal vit en dehors de cette idée proprement humaine. Il ne modifie pas lui-même son environnement, ni le mécanisme de l'équilibre. Ainsi, chaque espèce assure-t-elle sa survie.

Grâce à l'homme — très peu de femmes font des inventions — toutes sortes de créations, nées de son imagination inventive, ont vu le jour. La communauté a librement admiré et adopté ces nouveautés, initiatrices d'un bonheur sans cesse poursuivi.

Si l'art ne semble pas avoir modifié l'équilibre naturel, il en va tout autrement de la technologie.

Dessiner des antilopes dans les cavernes ne met rien en péril ; mais découvrir le feu ou piéger l'animal pour sa nourriture, modifie considérablement l'espace vital. Ces moyens permettaient à notre ancêtre de dépasser le quota, le *numerus clausus* que Dieu lui avait réservé pour ne pas briser l'équilibre naturel.

Si les hommes politiques, malgré leurs promesses, ne peuvent « changer la vie », le progrès, lui, s'y emploie. Il est possible d'examiner ce changement selon deux critères : celui du bonheur, et celui de la perpétuation dans son intégrité du patrimoine génétique. Observons le chien domestique.

L'abondance de la nourriture est un progrès. Ce chien de boucher qui mange de la viande à satiété devient gras et poussif. Est-il plus heureux dans cet état que son ancêtre, tout en muscles, qui courrait avec ardeur les plaines et les bois ?

Ce chien de boucher ne peut plus se battre victorieusement pour conquérir sa Belle.

La perpétuation de son patrimoine génétique devient problématique.

Un autre « progrès » que nous pouvons imposer à notre chien : le faire vivre dans un climat constamment tempéré, pour lui éviter le froid glacial et la canicule.

C'est agréable, c'est vrai, mais les défenses naturelles de notre chien, à force de n'être plus sollicitées, vont peu à peu disparaître.

Le voilà « dépendant » de cette température toujours égale, n'osant plus sortir s'il fait trop froid ou trop chaud.

Il aura perdu une liberté essentielle : aller et venir selon son gré.

Nous pourrions également soigner notre chien comme un être humain, lui donner des médicaments, le préserver de toute agression microbienne, aseptiser son eau et sa nourriture.

L'animal ou ses descendants bénéficiant des mêmes soins, verraient leurs défenses naturelles perdre de leur vitalité et disparaître.

Ces animaux ne pourraient plus vivre sans les soins ayant modifié leur patrimoine génétique. Ils deviendraient si fragiles que finalement au moindre écart, ils tomberaient malades.

En outre, ces soins créeraient une dépendance restreignant la liberté.

Un chien domestique a perdu toute autonomie.

Il doit être assisté sinon il meurt.

Ce n'est plus un animal libre. En est-il plus heureux ?

Ces constatations sont très importantes. *Chaque animal est né pour avoir un certain destin, bien programmé dans ses gènes et qui lui assurent autonomie et perpétuation. Il est proprement **absurde** de le modifier.*

Revenons à l'homme — qui adopte librement des nouveautés dont l'ensemble forme le progrès.

Est-ce un bon critère d'appréciation ?

Le tabac a été adopté librement.

L'alcool, autre invention, a été adopté librement.

La drogue a été également adoptée librement.

Toutes ces créations humaines sont-elles bénéfiques ?

On commence à reconnaître que tout ce qui apporte du bonheur, du plaisir dans un premier temps puis du malheur, des souffrances dans un second temps, est mauvais pour l'homme en tant qu'individu.

Oubliant l'Ordre Naturel, on omet d'examiner si telle ou telle nouveauté ne risque pas d'apporter souffrances et malheurs aux générations futures.

On n'a pas encore compris ceci : l'individu n'est qu'un aspect, momentané puisque mortel, d'une vie éternelle qu'il faut préserver.

A. G. : Pourquoi l'homme adopte-t-il tant de nouveautés dont il sait qu'elles peuvent lui apporter de terribles souffrances ?

M. L. : L'homme, comme l'animal, est né optimiste.

Les épreuves, lot de toute vie, il les connaît très bien, mais pense que cela n'arrive qu'aux autres.

Tout jeune garçon se moque de l'homme âgé « qui sucre les fraises » sans se dire que lui aussi...

La motocyclette, c'est enthousiasmant. Ça tue beaucoup, les autres. Ça rend à moitié paralysés pour la vie beaucoup de jeunes. Ça n'arrive qu'aux autres.

Le réalisme sur l'avenir passe pour du pessimisme. On l'écarte comme simple signe d'une mauvaise santé, ce qu'il est peut-être.

Cet optimisme voit dans toute invention seulement son côté positif.

A la radio, un scientifique de qualité rend compte chaque semaine des découvertes ou inventions qui vont améliorer notre vie. Il ne cherche jamais à prévoir tous les effets négatifs possibles.

Relisez les tonnes d'écrits sur l'avenir de la civilisation humaine parues depuis le début du siècle.

A cette époque, il suffisait de creuser un peu le sol pour trouver de l'eau. Des fontaines existaient un peu partout, et tout le monde s'y abreuvait. Or, aujourd'hui, il est recommandé d'acheter de l'eau minérale puisée dans les hautes montagnes, loin de la présence humaine.

Quel est le seul savant, le seul scientifique, le seul futurologue qui a prédit, il y a seulement 50 ans, que nous ne pourrions plus boire l'eau de la région où nous vivons sans la désinfecter ?

A cause des nitrates, dans trente ans, nous ne pourrons plus faire de potage avec l'eau de notre robinet dans plusieurs régions françaises.

A. G. : Parmi les effets négatifs du « Progrès » on peut noter l'instabilité des emplois, la transformation du cadre de vie, la crainte de voir nos connaissances profession- nelles devenir obsolètes, la modification des valeurs, des mœurs.

Nous ne retrouvons plus nos marques et nous nous sentons perdus dans une société dont nous ne comprenons plus les objectifs.

M. L. : Les hommes d'autrefois, lorsque le progrès était très lent et insignifiant, naissaient, vivaient et mouraient au même endroit, exerçaient leur métier toute leur vie.

Jadis, le goût du changement caractérisant la jeunesse était vécu grâce à l'apprentissage itinérant. Il devient aujourd'hui, lorsque l'on est chargé de famille, extrême- ment pénible.

Même pour les jeunes qui aiment l'aventure, avoir un ancrage, un point fixe, un port d'attache familial est essentiel.

La mobilité des emplois tue la cellule familiale.

Notre société paysanne, la plus ancienne, la plus solide, a été volatilisée en moins de cinquante ans par le progrès.

Non seulement cette société paysanne a été anéantie, mais ce drame s'est accompagné d'effets secondaires terrifiants.

La nature a été saccagée, l'eau contaminée, les rivières dépeuplées, certains oiseaux empoisonnés, les papillons presque anéantis.

La société paysanne nous a montré la voie. Le monde industriel commence à suivre le même processus.

Cette volonté actuelle de constituer une immense zone de libre échange s'étendant sur toute la terre, signifie la libre concurrence entre les entreprises du monde entier.

Dans cette compétition impitoyable, chaque industrie devra se mettre au niveau de la plus performante de son secteur.

Lorsqu'une industrie se trouve en compétition avec un concurrent asiatique dont le personnel est plus performant soit par son adresse, soit par son salaire, il doit choisir entre deux solutions : ou bien robotiser à outrance et licencier au maximum, ou bien se délocaliser, fabriquer en zone asiatique les modèles créés et commercialisés en Europe.

Dans les deux cas, c'est le chômage pour une partie du personnel.

Ce fléau s'étend. On parle de partage du travail, mais celui-ci n'a de sens que s'il y a partage du salaire, or on est très discret sur ce chapitre là. Il est en outre impossible dans les petites et moyennes entreprises.

Un autre mal provoqué par le progrès, c'est l'augmentation continuelle des métiers idiots. J'appelle métier idiot celui qui demande un temps court d'initiation et qui, pour celui qui l'exerce est non perfectible.

Les métiers artisanaux d'autrefois étaient perfectibles. Difficiles et perfectibles. Être berger, vacher, charretier étaient des métiers considérés comme du plus bas niveau et cependant demandaient une longue initiation toujours perfectible.

Être O.S. dans une usine est un métier ni difficile ni perfectible.

Être gardien de musée n'est ni difficile, ni perfectible.

Ces métiers inintelligents sont profondément ennuyeux. Combien le temps paraît s'écouler lentement à un gardien de musée qui regarde sa montre tous les quarts d'heure ?

Conduire une locomotive à vapeur était difficile, fatiguant mais intelligent.

Conduire la motrice d'un T.G.V. est un travail de surveillance, non perfectible.

En fait, on va de plus en plus vers des métiers où l'homme est remplacé par un robot (le « tout automatique »), le préposé n'est là qu'en cas d'incident extraordinaire, imprévisible, pour alerter ses supérieurs.

Autrefois, entre deux charretiers, il y avait toujours une petite différence sur la manière de conduire les chevaux. Aujourd'hui existe-t-il une différence sur la manière de conduire une rame de métro ?

Le conducteur, confortablement assis dans une cabine climatisée a la retraite à 50 ans. C'est normal, rien n'est plus usant que de faire un métier aussi peu actif, aussi peu intelligent.

Notre charretier travaillait de l'aube jusqu'au crépuscule, par tous les temps et aussi longtemps que son corps lui donnait la force de le faire. Il aimait son métier et ne souhaitait pas le quitter tant qu'il avait la force de l'exercer, en homme libre et responsable.

A. G. : Les hommes d'aujourd'hui ne sont plus capables, en général, d'avoir ce courage dans l'adversité, autrefois naturelle.

M. L. : Attention, plus l'homme abandonne la vie réelle, concrète — celle où l'on s'attaque aux choses — plus il développe sa vie artificielle, celle de l'esprit, de l'imagination, qui a besoin d'excitants pour se maintenir.

J'en reviens à mon idée de la « folle du logis », celle qui faisait peur autrefois quand on voyait un enfant passer des heures à imaginer plutôt qu'à exécuter.

L'imagination a besoin d'excitants : l'alcool, la musique, la lecture, le cinéma, la télévision, la drogue...

Dès que l'imagination fléchit, c'est la déprime.

Nous ne sommes plus capables de gagner notre pain à la sueur de notre front. On préfère le rêve.

« Et je m'en vais, l'âme ravie
d'avoir rêvé ma vie. »

Les westerns, les films où l'on voit les hommes se battre contre l'adversité, on aime.

Après, on retombe dans la vacuité quotidienne.

A. G. : Mais peut-on réapprendre l'effort physique ?

M. L. : Oui, le sport par exemple. Pas le sport-fric d'aujourd'hui, mais le sport du baron de Coubertin : Celui que l'on pratique en dehors du travail, non à la place du travail, celui où l'on se donne à fond en pensant « l'important c'est de participer non de devenir une vedette ».

Pierre de Coubertin disait, en août 1920 : « Que les groupements sportifs tiennent résolument écarté l'arriviste qui s'offre à les diriger, et ne songe en réalité qu'à utiliser les muscles d'autrui pour échafauder sa propre fortune politique ou faire prospérer ses affaires personnelles. »

Voilà un visionnaire génial qui avait compris combien l'argent risquait de pourrir le sport.

Nous en vivons chaque jour des exemples de plus en plus crapuleux. Les corrupteurs ont hélas l'hypocrisie de porter le baron au pinacle.

A. G. : Le progrès est fait d'inventions, de découvertes, d'innovations. Il a un effet totalement négatif sur notre environnement. Les écologistes sont nés de notre révolte devant la dégradation de la nature.

M. L. : C'est vrai, mais n'est-il pas étonnant et absurde qu'un de leur chef en France soit devenu ministre d'un gouvernement progressiste issu d'un parti progressiste ?

On ne peut pas être à la fois pour et contre le progrès.

L'écologie, comme le sport, sert de tremplin politique.

Quand nous avions un ministre de l'Environnement écologiste, j'avais envie de publier une plaquette avec — d'un côté — des photos de villages et de paysages suisses, sans un fil électrique basse-tension, sans un panneau publicitaire. Et de l'autre côté, j'aurais montré des villages et des paysages français, avec leur foisonnement de fils électriques, de panneaux publicitaires.

J'aurais simplement mis ce texte : « Devinez lequel de ces pays a un ministre de l'Environnement écologiste ».

Les Suisses aiment et respectent la Nature. Ils n'ont pas besoin de ministre pour la protéger.

A. G. : On peut soutenir le progrès dans certains secteurs, comme celui de la santé.

M. L. : J'ai longtemps considéré le progrès médical

comme merveilleux et l'approuvais sans réserve. Jusqu'au jour où je me suis aperçu que la médecine se trompait de finalité.

Considérer la santé de l'individu comme une fin en soi et vouloir lui donner santé et longue vie est une erreur que j'ai commise jusqu'au moment où j'ai compris le mécanisme de l'Ordre Naturel : dans celui-ci l'individu n'est que le porteur de la vie éternelle matérialisée par le patrimoine génétique.

Ce patrimoine génétique doit être préservé dans son intégrité. Préservons l'individu en tant que porteur momentané et périssable de ce patrimoine.

Soigner un être gravement alcoolique sans se préoccuper de la santé de son patrimoine génétique, le laisser procréer même si ce patrimoine est gravement détérioré, voilà l'erreur de la médecine.

Bien des hommes de cœur vont se révolter contre ma théorie.

Je demande à ces hommes de cœur de visiter des handicapés mentaux. Ils seraient un million en France dont la vie est une épreuve permanente.

Leurs parents devaient-ils les mettre au monde, dans la mesure où leur patrimoine génétique n'était pas intact ?

Je n'ai pas le droit de faire souffrir un de mes semblables mais j'ai le droit de procréer des « monstres », des martyrs.

La liberté, c'est beau, mais j'ai peine à comprendre cette liberté. C'est un des problèmes fondamentaux qui se pose de nos jours à notre société depuis que nous ne laissons plus la nature faire son œuvre de maintenance.

La société humaine va où elle veut. Mais il faut qu'elle

sache où elle va et, si malgré cette connaissance chacun dit : « Après moi le déluge ». Eh bien, allons au déluge.

Une autre question mérite l'attention. Lors de la conquête de l'Amérique du Sud par les Espagnols, de très nombreux Indiens périrent.

Ceux qui détestent l'esprit de conquête des Blancs parlèrent de massacres, de génocide.

Les historiens, guidés par la seule recherche de la vérité, constatèrent qu'environ 80 % des décès provinrent de maladies apportées par les Espagnols.

Les Indiens n'étaient pas génétiquement résistants à ces maladies.

De ceci je tire le premier enseignement : les mouvements de populations sont risqués sur le plan de la santé.

L'affaiblissement généralisé de la plupart des patrimoines génétiques ne va-t-il pas rendre ceux qui en sont victimes plus vulnérables à certaines maladies ?

Bien des gens croient que le Sida est une nouvelle maladie, comme si la génération spontanée existait sur terre — théorie courante avant Pasteur.

En réalité, le virus du Sida était en sommeil depuis toujours. Peut-être a-t-il été virulent à une époque préhistorique, et les survivants sont devenus génétiquement résistants.

A quoi tient sa réactivation ? Soit à des contaminations par des êtres immunisés (sexualité, piqûres, transfusions), certains receveurs n'étant pas génétiquement résistants, car descendant d'individus vivant dans des territoires indemnes du Sida. Soit par suite d'affaiblissement du patrimoine génétique de certains individus.

Quoi qu'il en soit, la liberté sexuelle considérée comme

un des plus beaux et des plus importants progrès de notre époque, est la principale cause de l'extension du fléau. D'autres maladies, actuellement en sommeil, se développeront peut-être.

A. G. : Vous voulez arrêter le Progrès ?

M. L. : Oui, mon idéal est une société stable, comme est stable l'Ordre Naturel, où chaque génération a exactement les mêmes activités que la génération précédente.

A. G. : C'est une pure utopie.

M. L. : C'est ça ou la fin de l'homme.

A. G. : Mais on ne peut pas arrêter le progrès sans rendre nos usines non compétitives, nos armées rapidement dépassées.

M. L. : C'est vrai. Arrêter le progrès signifie se refermer sur nous-mêmes.

De toutes façons, avec les armes modernes, la guerre est devenue absurde. Refuser l'affrontement militaire est la vraie sagesse.

Il faut devenir totalement neutre, refuser la guerre militaire et la guerre économique. Alors on pourra arrêter le progrès devenu inutile, et tenter de construire une société plus conforme à un ordre para-naturel.

Nous sommes dans un bateau qui n'est plus gouvernable et se trouve pris dans une tempête.

Tenter d'accoster et de débarquer dans un pays parfaitement tranquille et hospitalier est très difficile, mais c'est peut-être notre seule chance.

A. G. : Vous n'êtes guère optimiste.

M. L. : Le refus de la population d'accepter une diminution d'un niveau de vie très théorique me désole.

A. G. : L'important c'est d'abord de convaincre que le progrès ne mène à rien.

Après ce sera plus facile de réorienter l'évolution.

M. L. : En résumé, le progrès n'améliore pas le bonheur individuel de l'homme.

Il affaiblit son patrimoine génétique, et met en péril la perpétuation de l'espèce humaine.

Une société qui refuse le progrès devient une société immobile. Une société immobile n'a plus d'histoire.

Les peuples heureux n'ont pas d'histoire.

Réflexion sur l'évangile

A. G. : L'analyse des quatre évangiles n'est pas facile.

L'exactitude des faits et des paroles n'est pas garantie, même si la bonne foi des évangélistes n'est pas contestée.

On dit que « traduire c'est trahir » mais quand les faits et les paroles ne sont que des souvenirs lointains ou rapportés par des témoins, comment ne pas les déformer ?

Cela explique les différences et les contradictions relevées dans chaque évangile et entre eux.

M. L. : En présentant certaines paroles de Jésus-Christ différemment sélectionnées, on peut le comprendre de plusieurs manières.

Chacun y trouve sa vérité.

Voici la mienne.

On a coutume de dire : « Dis moi qui tu fréquentes et je te dirai qui tu es. »

Première constatation, Jésus ne fréquentait pas les intellectuels pour avoir des discussions philosophiques ou théologiques.

Avec les scribes et les Pharisiens, les seuls religieux intellectuels de l'époque, il n'eut que des relations conflictuelles, plus de son fait que du leur.

Deuxième constatation : il ne cherchait à convaincre que les gens simples, les gens du peuple, de modeste condition, ceux que nous appelons aujourd'hui des manuels.

En un certain sens, on pourrait dire que c'était un « prêcheur populiste ».

Troisième constatation : il avait beaucoup observé la nature, les animaux, les plantes, l'agriculture. Ses connaissances dans ce domaine étaient incontestables.

Quatrième constatation : enseigner seulement avec des mots, des symboles, le mettait mal à l'aise.

Aussi expliquait-il sa pensée par une parabole concrète et compréhensible par son auditoire.

Pour expliquer les différentes manières dont ceux qui l'écoutaient pouvaient recevoir ses idées, il les compare à des graines, et ceux qui sont autour de lui au sol qui va recevoir cette semence.

« Écoutez ! Voici que le semeur est sorti pour semer. Or, comme il semait, une partie du grain est tombée au bord du chemin, et les oiseaux sont venus tout manger. Une autre est tombée sur le sol pierreux où elle n'avait pas beaucoup de terre et aussitôt elle a levé, parce qu'elle n'avait pas de profondeur de terre, et lorsque le soleil s'est levé, elle a été brûlée et, faute de racines, s'est desséchée. Une autre est tombée dans les épines, et les épines ont monté et l'ont étouffée, et elle n'a pas donné de fruit. D'autres sont tombés dans la bonne terre, et ils ont donné du fruit en montant et en se développant et ils ont produit l'un trente, l'autre soixante, l'autre cent pour un. »

Voici un cours d'agriculture fort exact que pas un intellectuel ne pourrait prononcer. Il faut avoir vu les oiseaux manger les graines tombées au bord du chemin pour pouvoir le dire. Ça n'est pas dans les livres.

Ainsi Jésus fréquente les gens du peuple dont il parle

le langage concret, et dont il connaît si bien les métiers qu'il ne risque pas de faire d'erreur dans ses paraboles.

D'autres faits m'ont frappé.

Jésus vivait en Israël, pays occupé par les Romains.

J'imagine l'occupation romaine comme celle de l'Europe par les Allemands au cours de la dernière guerre mondiale.

La doctrine des Allemands était la suivante : Il faut qu'existe dans chaque pays occupé une structure entièrement nationale, organisation hiérarchisée et neutre vis-à-vis de l'occupant.

Ce gouvernement national avait tous les pouvoirs, sauf celui d'avoir une armée et une politique étrangère.

Tout différent entre l'occupant et l'occupé devait se traiter au sommet.

Le gouverneur allemand ou romain s'interdisait d'intervenir dans l'administration du pays occupé, sauf si l'intérêt, la sécurité de l'occupant étaient en jeu.

Certes, il y a des résistants, théoriquement, conjointement poursuivis par les occupants et le pouvoir national du pays occupé.

Jésus se montra complètement indifférent à cette occupation romaine, ni pour, ni contre.

Il s'en expliqua clairement en disant : « Rendez à César ce qui est à César et à Dieu ce qui est à Dieu. »

Ainsi il marque une frontière entre l'action politique et sa mission religieuse.

Il ne voulait pas s'intéresser à la politique ni donner jamais son avis sur un acte politique.

Un peu dans cet ordre d'idées, il ne cessait de condamner ceux qui font la charité en public, avec ostentation.

« Quand donc tu fais l'aumône ne va pas le claironner devant toi ; ainsi font les hypocrites dans les synagogues et les rues afin d'être honorés des hommes ; en vérité je vous le dis, ils ont déjà leur récompense. Pour toi quand tu fais l'aumône, *que ta main gauche ignore ce que fait ta main droite.* »

Nos vedettes de la charité, largement médiatisées par la télévision pour donner devant des millions de spectateurs, des secours qui ne leur appartiennent pas, feraient bien de méditer ces paroles.

Certes, de nos jours, la charité ne peut plus être seulement individuelle comme au temps de Jésus, mais même une « entreprise » de charité peut fonctionner selon les préceptes de Jésus.

Ainsi la Croix-Rouge a toujours refusé la médiatisation de son action, comme elle a toujours refusé que celle-ci soit assortie de commentaires politiques.

Elle ne dit rien de ce qui pourrait lui fermer les portes du pays où elle s'efforce de soulager la misère, la souffrance. Elle soigne les blessés dans toutes les guerres, sans les juger.

C'est ainsi que son action est vraiment efficace.

Dans un autre domaine l'Armée du Salut fait du bon travail de professionnel, avec désintéressement.

Quant à la charité-spectacle et à la charité-business, elles aident les uns à faire leur carrière politique, les autres à s'enrichir.

Toujours dans le même ordre d'idées, et pour bien situer

sa mission en dehors de la politique, Jésus a dit : « Je ne suis pas venu apporter la Justice, mais la Miséricorde. »

La Justice, même si elle est indépendante du législatif et de l'exécutif, est chargée d'appliquer les lois qui correspondent à la politique du gouvernement.

Même si hypocritement certains hommes politiques se camouflent derrière une éthique supérieure qu'ils voudraient universelle, la justice est toujours politique, car les lois sont toujours politiques.

Jésus n'est donc pas venu apporter la justice, mais une miséricorde du cœur.

Lorsqu'il condamne avec véhémence ou violence les scribes, les Pharisiens ou les marchands du Temple, il reste dans son domaine, qui est celui de Dieu.

La justice dont se désintéresse Jésus est celle de l'ordre politique. Par contre il ne peut retenir sa passion, les mouvements de son cœur, son indignation lorsqu'il voit comment certains se servent de Dieu pour s'enrichir ou se faire valoir et honorer.

Jésus n'est pas un agitateur qui tente de soulever les pauvres contre les riches, les exploités contre les exploiteurs, les serviteurs contre leur maître. Il essaie seulement de convaincre les riches de se séparer de leur fortune. Il ne croit pas que la vraie souffrance soit d'origine matérielle. En tout cas c'est aux politiques de résoudre ces problèmes.

Le vrai malheur d'un homme est toujours moral, sentimental, et peut atteindre aussi bien un très riche qu'un pauvre.

Le pire pour un homme, c'est une espèce de solitude du cœur qui peut l'entraîner à tous les désespoirs. Il dit à ceux qui en sont atteints : en s'adressant directement à

Dieu qui est tout Amour, ils trouveront réconfort et la guérison de leur mal. C'est en priant le Seigneur qu'ils peuvent trouver la paix du cœur.

Naturellement je me suis demandé si Jésus croyait à l'inné ou à l'acquis, s'il pensait que l'homme est le fruit de l'éducation ou non.

L'idéologie culturelle considère l'esprit supérieur à la matière, et les pensées exprimées par un homme sont plus importantes que ses actes, que son comportement.

Elle est friande de « débats d'idées » qui excluent toute attaque sur le comportement privé des participants.

Jésus ne recherche pas le « débat d'idées » avec les scribes et les Pharisiens : il les attaque sur leur comportement.

Pour lui, c'est bien clair : Leur profession de foi ne permet pas de classer les hommes en bons ou mauvais, mais leurs actes.

Aussi, pour reconnaître les faux prophètes voilà ses conseils : « C'est à leurs fruits que vous les reconnaîtrez. Cueille-t-on des raisins sur des épines ou des figues sur des chardons ? Ainsi tout arbre bon, donne de bons fruits, tandis que l'arbre mauvais donne de mauvais fruits. »

Peut-on espérer rendre bon un homme mauvais ? Peut-on lui enseigner la manière de devenir un bon prophète ?

Là encore Jésus a une réponse tranchée : « Un bon arbre ne peut porter de mauvais fruits, ni un mauvais arbre porter de bons fruits. Tout arbre qui ne donne pas un bon fruit, on le coupe et on le jette au feu. (Saint Mathieu) »

Ainsi Jésus montre qu'il croit à la nature de l'homme,

qui se manifeste par ses actes, et non aux idées venues de l'esprit.

Seuls les actes comptent qui montrent la qualité de cœur : « Ce n'est pas en me disant : Seigneur, Seigneur, qu'on entrera dans le royaume des cieux mais en faisant la volonté de mon Père qui est dans les cieux. »

Voici donc Jésus, fils de Dieu, indiquant aux hommes comment ils doivent se comporter selon la volonté divine.

Israël est un pays occupé par les Romains mais Jésus est indifférent à leur présence.

Il ne veut pas s'occuper de politique, c'est-à-dire de l'organisation de la cité. Il laisse à César son domaine réservé.

Il ne s'intéresse pas aux jeux de l'esprit, aux discussions abstraites, à la théologie.

Dieu juge les hommes sur leur comportement vrai et non sur les paroles ou les attitudes.

Jésus adhère à la religion pratiquée en Israël mais il en récuse la hiérarchie, créatrice d'une liturgie si compliquée que seule cette élite se considère digne de la comprendre, de l'expliquer et de la faire respecter.

Souvent dans son comportement Jésus ne se conforme pas aux rites. De cela il s'explique : « La loi a été faite pour l'homme et non l'homme pour la loi. »

Tout ce qui est fait dans un bon sentiment plaît à Dieu, qui lit dans nos cœurs, et ce ne sont pas les scribes et les Pharisiens qui décident du bien et du mal au nom de leurs lois.

Jésus en revient toujours à ce domaine du concret qu'est le comportement.

Que des Pharisiens lui reprochent de parler à une

pécheresse, ce qui contrevient aux lois religieuses, et il leur répond : que celui qui n'a jamais péché lui jette la première pierre.

C'est l'attaque personnelle qui estomaque et rend muets des gens habitués à rester dans le domaine intellectuel de l'interprétation des lois. Jésus est d'une extrême violence avec les scribes et les Pharisiens. Il sape leur autorié et, pire, il habitue son auditoire à s'adresser à Dieu directement, sans intermédiaire.

C'est un chevalier sans peur qui attaque de front un pouvoir en place, omniprésent, d'une puissance extrême, en partie occulte.

Ce pouvoir est dirigé dans l'ombre, alors que Jésus se bat en pleine lumière. Ainsi se noue le drame. Il est inéluctable.

Jésus est un homme seul.

Autour de lui ses disciples, plutôt passifs, posent parfois des questions très prosaïques, ou qui montrent leur peu d'intelligence.

Il n'y pas de héros parmi eux, d'ami dévoué jusqu'à la mort, de ces hommes pourtant nombreux qui disent : mon honneur est fidélité.

Trahison, reniements ou fuite, ils laisseront Jésus seul pour affronter les périls.

Celui-ci ne sera pas surpris. Habitué à sonder les cœurs, il savait qui le trahirait, qui le renierait, qui prendrait la fuite.

A. G. : Le personnage nommé Jésus que vous décrivez est très vraisemblable. Bien que fils de Dieu il a sur terre une vie d'homme.

C'est un manuel, extraordinairement observateur, intuitif et lucide. Il est sans illusion, même sur ses disciples.

Ce n'est pas un doux naïf, mais un passionné jusqu'au fanatisme, exaspéré par l'hypocrisie.

Être en paroles, généreux, courageux, modeste, indulgent, serviable, charitable, c'est trop facile.

Trop faciles aussi, les belles attitudes en public.

Il veut voir comment les gens se comportent tous les jours. C'est là qu'est la vérité de l'homme.

M. L. : C'est vrai que Jésus dit des paroles, ou qu'on lui fait dire des paroles d'une intransigeance digne d'un fanatique.

« N'allez pas croire que je sois venu apporter la paix sur la terre, je ne suis pas venu apporter la paix, mais le glaive. Car je suis venu opposer l'homme à son père, la fille à sa mère. »

Il dit également : « Qui aime son père ou sa mère plus que moi n'est pas digne de moi. »

Concernant la fidélité dans le mariage : « Quiconque regarde une femme pour la désirer a déjà commis dans son cœur l'adultère avec elle. Si ton œil droit est pour toi une occasion de pécher, arrache-le et jette-le. »

En une autre occasion, il ne se contente pas de condamner les marchands du Temple. Homme d'action, aimant concrétiser ses paroles, il va lui-même faire valser les étals des marchands, et réalise le nettoyage des lieux saints.

A. G. : Cependant lui qui aime expliquer ses pensées abstraites par des paraboles, par des comparaisons concrètes, pourquoi semble-t-il avoir fait le contraire lors de la Cène ?

M. L. : Vous vous demandez pourquoi Jésus, au repas pascal, a rompu le pain et en le donnant à ses disciples a dit : « Ceci est mon corps. » De même pour le vin il leur dit : « Ceci est mon sang. »

En réfléchissant, je me suis souvenu d'un personnage de Molière qui exprime la pensée de l'auteur dans sa détestation des scribes et Pharisiens de son époque, les tartuffes, les faux intellectuels vaniteux, et son amour des gens de cœur aux goûts simples et vrais.

Que disait ce personnage ? *« Je me nourris de bonne soupe et non de beau langage. »*

Que voulait-il dire à ces intellectuels ?

Que non seulement il se nourrissait de soupe comme tout le monde, mais que lui se préoccupait de la produire, de faire bouillir la marmite comme on dit, alors qu'eux feignaient de mépriser ces activités vulgaires.

Alors pourquoi Jésus — du parti de ceux qui travaillent et produisent, contre certains intellectuels qui s'engraissent en prêchant les vertus — pourquoi n'aurait-il pas parlé dans le même sens que Molière ?

Il savait que les scribes et les Pharisiens l'espionnaient, pour noter tout ce qui pourrait nourrir l'accusation pour le faire condamner.

Un peu las de ses disciples — dont l'un se préparait à le trahir et d'autres à le renier — le chevalier sans peur lança sa dernière et ultime provocation.

Non, il ne se nourrit pas de belles paroles, il n'est pas un pur esprit, il rejette l'enseignement des scribes et des Pharisiens. Dieu l'a fait de chair et de sang et le pain nourrit sa chair, le vin son sang.

A. G. : Jamais personne ne saura ce que Jésus a dit ou a voulu dire, mais votre explication est dans la logique de vos citations précédentes.

M. L. : Jésus est trop intelligent pour n'avoir pas compris qu'il était condamné, que les scribes et les Pharisiens voulaient absolument sa mort.

Il l'accepte car il sent que sa mission sur terre est terminée. Il ne fera rien pour échapper au supplice de la crucifixion.

Cette histoire de Jésus, racontée par des évangélistes, ni très intelligents, ni très scrupuleux sur leurs sources — et qui en outre déforment la vérité de Jésus pour faire passer la leur — est cependant passionnante par ce que l'on croit deviner.

La fin de Jésus, qui aurait pu être banale, contient tous les ingrédients d'une tragédie.

Jésus ne s'est adressé qu'au peuple et n'avait après trois ans pas plus de disciples qu'au début. Ceux-ci devant l'échec, s'empressent de le trahir, de le renier, de le fuir. Jésus a ignoré les Romains et ceux-ci avaient tout lieu de l'ignorer. Voilà que contre toute logique et contre son intérêt le plus évident, le gouverneur romain veut le sauver d'une mort pourtant acceptée !

C'est un fait incroyable qui va bouleverser tous les plans mûrement préparés par les plus hautes autorités religieuses d'Israël.

La condamnation de Jésus et son exécution devaient se faire sans tapage pour minimiser au maximum son importance.

On peut supposer que le gouverneur Pilate devait contresigner chaque condamnation à mort décidée par le pouvoir d'Israël. Notamment pour éviter celle d'un homme condamné pour avoir servi les Romains contre Israël.

Pour Jésus, pas de problèmes de cet ordre, et la signature de Pilate allait de soi.

Or, le gouverneur interroge Jésus et dit aux autorités juives qu'il ne le croit pas coupable.

Cependant, sentant leur détermination, et sachant tout le bien que Jésus avait fait pendant trois ans à des gens du peuple, Pilate a une idée pour le sauver.

Il dispose d'un droit de grâce populaire et comme en prison avec Jésus, il n'y a que Barabbas, un voleur et un assassin, il pense que la foule graciera Jésus.

Nouveau coup de théâtre.

Cette foule qui, un mois auparavant, entourait Jésus de sa vénération, a été travaillée par les médias de l'époque, inspirés par l'ensemble des scribes et des Pharisiens.

L'opinion publique, dont Napoléon disait qu'elle était une catin, s'est retournée.

Relisons ce dialogue entre Pilate et la foule : « Pilate : Lequel des deux voulez-vous que je vous relâche ? » Ils répondirent : « Barabbas ». Pilate leur dit : « Que ferai-je de Jésus que l'on appelle Christ ? » Ils répondent tous : « Qu'il soit crucifié ! » Il reprit : « Quel mal a-t-il donc fait ? » Mais ils n'en criaient que plus fort : « Qu'il soit crucifié ! »

A ce stade de la tragédie, arrêtons-nous sur le gouverneur romain Pilate.

Objectivement c'est le seul, selon ce qui a été rapporté, à avoir défendu Jésus.

Cette intervention ne pouvait qu'aigrir ses relations avec le pouvoir et le peuple juif, alors qu'il avait mission de créer un climat de collaboration confiante.

Que cette affaire soit rapportée à Rome et ce serait une mauvaise note pour lui.

Il a fait le maximum pour sauver le Christ. Il ne pouvait pas faire plus, sauf un abus de pouvoir qui aurait peut-être provoqué une émeute. Rome l'aurait de toutes façons annulé en destituant le fautif.

Or, par une curieuse falsification historique, voilà Pilate représenté comme le coupable.

On laisse entendre qu'il pouvait sauver Jésus et qu'il a dit : je m'en lave les mains (dans le sens : je ferme les yeux sur ce que vous ferez).

En vérité, un seul évangéliste (saint Mathieu) a dit que Pilate s'était lavé les mains, en disant : « Je ne suis pas responsable de ce sang ; à vous de voir. » Et tout le peuple répondit : « Que son sang retombe sur nous et sur nos enfants. »

Grâce donc soit rendue au gouverneur Pilate ; il a fait ce qu'aucun haut fonctionnaire n'a fait à ma connaissance : intervenir contre son intérêt et contre sa popularité.

Alors, me direz-vous, qui était coupable ? La foule qui criait : « Crucifiez-le ? » Elle était manipulée par les médias. Alors les médias ? Ils obéissaient à un pouvoir anonyme.

Parmi tous ceux qui l'on condamné par un nom !

A. G. : Jésus n'a pas dicté ses pensées, pas un journaliste de l'époque n'a noté ses faits et gestes, la faiblesse du Christianisme ne vient-elle pas de cela ?

Rien n'est sûr concernant ses paroles ou ses actes, et les quatre évangiles sont remplis de contradictions.

M. L. : C'est à la fois sa faiblesse et sa force. Lorsqu'un personnage obtient une grande notoriété, il sert de référence à tous ceux qui veulent exprimer leurs vues personnelles.

Plus il y a de contradictions chez ce personnage, plus chacun peut y trouver une justification à ses idées. N'ai-je pas fait de même ?

On a tout fait au nom de Jésus, la guerre comme la paix, l'inquisition, organisation tyrannique, la création des ghettos, l'antisémitisme féroce, les guerres de religion comme leur contraire, l'accueil de toutes les ethnies et de toutes les religions, l'exclusion et sa condamnation.

Les chrétiens étaient toujours sincères et servaient la doctrine du Christ.

Ainsi les religions chrétiennes s'adaptent facilement aux idéologies dominantes. Actuellement l'idéologie dominante est culturelle. C'est le triomphe des intellectuels, de l'abstrait sur le concret.

Ainsi le nouveau catéchisme dit : « L'esprit guérit et transforme ceux qui le reçoivent en les conformant au fils de Dieu. »

Voilà un langage incompréhensible à ceux qui ne comprennent que le concret *comme Jésus.*

A. G. : Quelles réflexions vous inspirent les derniers moments de Jésus ?

M. L. : Un jour, la télévision a présenté un reportage sur un spectacle organisé à Burzet dans l'Ardèche.

C'était le chemin de croix joué par des amateurs.

J'ai donc vu ce pauvre Jésus traînant péniblement sa croix, et pour lui faire subir les pires sévices, seulement des soldats romains.

Seulement voilà, une seule source pour savoir la vérité, les quatre Évangiles.

Trois sont considérés comme les plus proches de la vérité historique, ceux de saint Mathieu, de saint Marc et de saint Luc.

Or, tous trois disent : « ... ils trouvèrent un homme de Cyrène, nommé Simon et le requirent pour porter sa croix... ».

Seul saint Jean dit : « Ils prirent donc Jésus qui, portant lui-même sa croix, sortit de la ville pour aller au Golgotha. » Rien sur ce chemin de croix et l'attitude des Romains.

Donc un seul évangéliste dit que Jésus porta sa croix et aucun ne parle de soldats romains.

En outre, on peut se poser des questions sur cette étrange coutume d'installer une nouvelle croix pour chaque supplicié, et de l'installer juste au moment du supplice.

Une croix assez rigide pour que l'on puisse clouer un homme dessus doit avoir, avec sa partie en terre, au moins quatre mètres de long et une bonne épaisseur pour fixer fortement la partie horizontale.

Un homme peut-il porter seul cette croix ?

Les évangiles racontent, d'une manière presque identique, le supplice : « Les passants l'injuriaient en hochant la tête et disant : "Toi qui détruis le Temple et en trois jours le rebâtis, sauve-toi toi-même, si tu es fils de Dieu, et descends de la croix !" »

Parallèlement, les grands prêtres se gaussaient et disaient avec les scribes et les anciens : « Il en a sauvé d'autres et il ne peut se sauver lui-même ! Il est roi d'Israël : Qu'il descende maintenant de la croix et nous croirons en lui. »

Ainsi, il est bien clair que ce sont les scribes et les grands prêtres qui ont condamné Jésus à être supplicié à mort.

Ils avaient pour lui une haine inexpiable.

Enfin, avant de mourir, Jésus clama en un grand cri : « Mon Dieu, mon Dieu, pourquoi m'as-tu abandonné ? »

Peut-être n'ai-je pas donné assez d'importance à ce que Jésus nous a d'abord enseigné : seul l'amour peut transformer un être et le sauver. Oui, seul l'amour.

CONCLUSION

A. G. : Nous venons d'échanger des idées sur la société humaine, sur le destin de l'homme.

Pour conclure, voulez-vous revenir sur ce qui vous paraît le plus important ?

M. L. : La grande erreur de notre siècle, c'est de ne songer qu'à l'individu, à son bonheur, sa santé, sa culture.

On croit que nous pouvons transmettre aux générations futures nos connaissances pour être plus heureux, avoir une meilleure santé, être plus cultivés.

Le plus grand savant du monde, s'il procrée un enfant fou, ne pourra pas lui transmettre son savoir.

Par contre si son fils est identique à lui-même, et si ce savant meurt peu après la naissance de ce fils, celui-ci saura bien de lui-même acquérir toutes les connaissances pour continuer son œuvre.

Préserver la culture, sans préserver le patrimoine génétique qui peut la recevoir et la développer est une absurdité.

Nous ne pouvons pas transmettre notre culture à des enfants génétiquement très différents de nous.

Il y a trois hommes en nous : l'homme naturel (l'inné), l'homme des habitudes (la seconde nature, adaptation de l'inné à l'environnement) et l'homme culturel — celui des connaissances acquises abstraites, l'esprit.

De même qu'un acteur peut jouer n'importe quel rôle,

tout homme peut s'habituer à vivre comme ceux de son entourage, même génétiquement très différents.

Il s'imprègne de la culture abstraite de ces hommes et adopte leur style de vie.

Mais il ne peut ni créer un nouveau style de vie, ni inventer, créer de nouvelles techniques ou formes artistiques conformes à la civilisation au milieu de laquelle il vit.

En visitant des lieux « culturels » on voit souvent des guides, parfois des enfants, qui récitent mécaniquement les connaissances nécessaires à leur compréhension. Sont-ils « cultivés » ou de simples phonographes ?

La vraie culture s'apprend par curiosité naturelle et par plaisir. Elle demeure en nous.

Aujourd'hui les gens se précipitent aux manifestations « culturelles » non pour s'enrichir l'esprit mais pour dire qu'ils y ont assisté.

C'est la culture-vanité.

L'inné, le naturel de l'homme, sa mentalité, existe dès sa naissance et reste intransformable.

Quand le naturel est tordu, les plus grands médecins du monde, médecins de l'âme, médecins du corps, ne peuvent le redresser.

J'insiste sur un point : dans tous les domaines, ce sont les hommes qui remuent les choses et ces hommes ne se sélectionnent pas en examinant leurs connaissances, mais en constatant leurs capacités concrètes. C'est toujours au pied du mur qu'on juge le maçon.

Un autre grave danger guette les sociétés humaines. Le progrès des techniques nous éloigne de plus en plus de la vie naturelle.

Il détruit la plupart des métiers manuels intelligents, et rend inutile l'effort.

Le précepte, « Tu gagneras ton pain à la sueur de ton front » n'a plus de raison d'être.

L'homme devient passif et oisif, de plus en plus protégé et de plus en plus dépendant de l'apport du progrès.

Passif, oisif et esclave, voilà comment on peut le définir.

Comme le chien de la fable de La Fontaine, « Le loup et le chien », nous avons préféré la garantie d'une soupe tous les jours, et du toit de la niche, à la vie libre et sauvage du loup — même s'il faut accepter le collier et la chaîne.

La télévision, en habituant les enfants et les jeunes à vivre par l'imagination, les prépare à utiliser la drogue pour toujours nourrir davantage cette « folle du logis » que nos ancêtres, dans leur sagesse, considéraient comme une faille.

Assurer à des parents que rien n'est inné chez leurs enfants, mais que tout est acquis, c'est leur ôter le sentiment qu'ils sont leur prolongement. Or, si ces parents travaillent, le bébé ne subit plus leur enseignement, mais celui des nourrices, puis des professeurs, des camarades, de la télévision. Alors, quel sens donner à la paternité ?

L'étude approfondie des vrais jumeaux, surtout ceux qui ont été séparés par erreur à leur naissance et se retrouvent plus tard, conforte ma théorie : l'identité de leur inné permet une merveilleuse entente, dépassant de très loin toutes celles qui peuvent se rencontrer chez les autres êtres humains.

Les théories de Freud sur l'inconscient s'avèrent presque totalement fausses.

L'inconscient, c'est l'inné.

Tous les hommes, sauf les vrais jumeaux sont différents, c'est vrai. Mais les hommes dont les patrimoines génétiques ont plus d'analogies que de différences forment des ethnies.

Dans ces ethnies l'entente est plus facile, les créatifs se sentent plus en confiance, mieux compris pour exprimer leur inspiration.

Créer des peuples homogènes, géographiquement limités, économiquement et politiquement autonomes nous mènera à la paix.

La séparation par consentement mutuel doit parvenir à ce regroupement de toutes les ethnies dans leur pays d'origine.

C'est un travail difficile, de longue haleine à contre-courant du laxisme actuel. Cela demande du cœur et de la volonté.

Il faut lutter contre le progrès à tout va, le libre-échangisme, le mondialisme, le mélange des ethnies, des civilisations, dont la seule valeur commune est l'argent.

C'est le mercantilisme universel. Tout s'achète car tout est à vendre. Et tout est à vendre car tout est corrompu.

Tous les peuples qui pratiqueront cette politique iront à l'anarchie.

Les idées ne mènent pas le monde. Elles ont toujours existé. Elles se développent en tombant sur un « terrain favorable », une modification concrète des conditions de vie, généralement dues à des créations, à des inventions.

On a l'impression que ces idées dirigent, provoquent l'évolution des mœurs ; elles ne font que la justifier.

Sans la pilule et le préservatif, les vieilles idées sur la

liberté sexuelle seraient restées très minoritaires, comme elles le furent de tous temps.

Un impératif demeure : la vie éternelle, notre patrimoine génétique, doit être transmis dans son intégrité.

Revenons à une vie plus naturelle, rejetons l'illusion d'un progrès qui, en modifiant nos conditions de vie, créerait une civilisation de bonheur.

Aujourd'hui, nous savons que le progrès n'est qu'un perpétuel changement suscitant plus de problèmes qu'il n'en résoud. Ses chantres sont des marchands d'illusions.

Les hommes aux immenses connaissances abstraites, au merveilleux savoir-dire, ne se contentent pas de lancer des idées en l'air pour le plaisir de les regarder voler. Ils veulent le pouvoir et ils le possèdent, mais ils ne l'utilisent pas, car ils n'ont aucun savoir-faire.

C'est un des drames de notre époque, avec un trop-plein de conseillers et une absence d'hommes d'action dans la classe dirigeante.

Dieu nous a créés pour mener une vie selon l'Ordre Naturel. Avoir un travail intéressant, une vie de famille avec des enfants, voilà ce vers quoi nous devons revenir. Au diable le niveau de vie. Son augmentation perpétuelle nous menant vers une société idéale ne doit plus être notre credo.

Nous devons revenir à un ordre para-naturel, où tout ce qui est consommé est inépuisable, car naturellement renouvelable.

Préservons les ressources.

Cela est-il réalisable ?

Si nous le voulons, certainement.

TABLE

Je suis contre vos idées, et je les combattrai toujours.
Cependant, je me battrai jusqu'au bout pour que vous
puissiez les exprimer.

Voltaire

Achevé d'imprimer par   Corlet, Imprimeur, S.A.
14110 Condé-sur-Noireau (France)
N° d'Imprimeur : 1911/160 - Dépôt légal : novembre 1993
Composition-mise en pages : Reprotyp - 14110 Condé-sur-Noireau

Imprimé en C.E.E.